MICHAEL BLANN

COLS

DE MOOISTE BEKLIMMINGEN
IN EUROPA

HERZIENE EN UITGEBREIDE EDITIE
202 AFBEELDINGEN IN KLEUR

Uitgeverij THOTH Bussum

Inhoud

Monte Zoncolan: het begin van de klim, met stijgingspercentages die oplopen tot 22 procent.

Voorwoord
Michael Blann

Het idee om de mooiste beklimmingen van Europa te fotograferen en daar een boek van te maken kwam voort uit mijn liefde voor het wielrennen en mijn passie voor fotografie. Ik ben opgegroeid aan de zuidkust van Engeland en begon in de jaren tachtig (mijn tienerjaren) met wielrennen, geïnspireerd door de eerste live-verslagen van de Tour de France op de Engelse televisie. Net als veel andere jonge fietsers droomde ik ervan ooit profrenner te worden en in de voetsporen te treden van de renners die ik op de televisie zag en waarover ik in tijdschriften las. Maar nadat ik een jaar in Australië had gekoerst, besefte ik dat het er niet van zou komen.

Maar als je eenmaal met het fietsvirus bent besmet, kom je er niet meer vanaf, en fietsen is een constante in mijn leven gebleven. Het mag dan ook geen verbazing wekken dat ik me er in mijn fotowerk steeds meer op ben gaan richten. Zoals bij alle projecten begon het met een vaag idee, gevolgd door een korte reis om wat 'persoonlijk werk' te maken. Ik kon toen nog niet bevroeden dat het uiteindelijk tot een driejarig project zou leiden en een boek waarvan ik veel zou leren.

Dertig jaar lang heb ik de geschiedenis van het wielrennen in me opgezogen: ik kende de namen van de renners, de wedstrijden en zelfs alle beroemde beklimmingen, maar verbond de renners niet rechtstreeks met het landschap waar ze doorheen fietsten. Ik wist bijvoorbeeld niet precies waar de Col d'Izoard lag ten opzichte van de Col du Galibier, en kende ook niet de specifieke kenmerken en het terrein van afzonderlijke cols, dus ging ik op pad om deze leemte in mijn wielerkennis op te vullen.

Gedurende dit ontdekkingsproces begon ik deze bergen vanuit een wielerperspectief op beeld vast te leggen. De wielerfotografie zoals ik die kende neigde in sterke mate naar actiefoto's, gemaakt vanaf de motor, van dichtbij of van de kant van de weg. Als fotograaf heb ik altijd de voorkeur gegeven aan foto's van veraf. Ik neem van nature het standpunt in van de passieve toeschouwer die vooral oog heeft voor het bredere beeld zoals zich dat voor hem ontvouwt. Deze afstandelijkheid roept een gevoel van rust en diepe introspectie op, dat op zijn beurt wordt weerspiegeld in de uiteindelijke foto. Dit lijkt misschien in tegenspraak met de tegenwoordige gekte rond de grote rondes, maar zelfs op wedstrijddagen kan de drukte en het kabaal van het publiek langs de route worden gedempt en opgeslokt door de grootsheid van het berglandschap en komen er natuurlijke geluiden – smeltwater, wind of vallend gesteente – naar boven.

Met dit idee voor ogen begon ik de wedstrijden in hun bredere context te fotograferen. Wat ik wilde vastleggen was het permanente karakter van deze landschapsvormen, hun relatieve schaal, hun aanwezigheid zelf. Ik wilde het unieke karakter van iedere berg in beeld brengen – de wegen en andere menselijke bouwwerken waarmee het landschap is doorspekt, de vegetatie en de invloed van de seizoenen.

Hoewel dit boek op het eerste gezicht misschien een willekeurig boek met berglandschappen lijkt, ligt een gedegen onderzoek naar hoe fietsers en wielrenners bergen ervaren daaraan ten grondslag. Het professionele wielrennen is vergeven van de drama's en intriges – een atmosfeer die zich tijdens bergetappes nog sterker laat gelden. Neem bijvoorbeeld de rivaliteit tussen de twee grote Italiaanse coureurs Fausto Coppi en Gino Bartali in de Giro d'Italia, of het bloedstollende duel op de Alpe d'Huez tussen de ploeggenoten Bernard Hinault en Greg LeMond in de Tour de France van 1986.

De geschiedenis van deze sport laat onuitwisbare herinneringen achter, die op hun beurt van invloed zijn op onze beleving van het landschap waar die gebeurtenissen zich afspeelden. Als wielerliefhebbers kunnen we van dichtbij, langs de kant van de weg, getuige zijn van dit theater en ons onderdeel voelen van de wedstrijd, maar in werkelijkheid staan we er altijd een eind vandaan. We zijn omstanders, en slechts voor korte tijd aanwezig; herinneringen vervliegen en details zijn al vlak na de wedstrijd vergeten. Een wielerronde is als een bliep in de geologische tijdschaal, een reizend circus dat ergens één dag neerstrijkt en de volgende dag weer is verdwenen, de berg achterlatend, als constante.

In de loop van dit project heb ik ontdekt dat er een symbiotische relatie bestaat tussen fietsen en de bergen. De grillige toppen en cols bieden een speelplaats, een podium voor het spektakel van het moderne wielrennen, en in ruil daarvoor brengt de koers ons weer in contact met het berglandschap. Er zijn veel bergen, vaak van even grote schoonheid, die vlak bij de grote beklimmingen liggen maar voor fietsers geen doel zijn of niets betekenen omdat ze geen wielerhistorie herbergen. Eigenlijk zouden ze net zo goed niet kunnen bestaan.

In dit werk heb ik mijn gedachten en ideeën samengebracht, in wat naar ik hoop een omvattend fotografisch overzicht vormt van de mooiste beklimmingen van Europa. Het heeft tot doel de unieke relatie tussen het landschap en het wielrennen te verkennen en tegelijkertijd eer te bewijzen aan de enorme schaal, de massieve monumentaliteit en de wisselende stemmingen van de bergen, in het licht van hun betekenis voor de geschiedenis van het wielrennen.

Inleiding
Susannah Osborne

Het is onmogelijk over wielrennen te praten zonder het over bergen te hebben. Voor wielrenners en wielerfans zijn bergen cruciaal om de nuances van de sport te kunnen begrijpen. De Mont Ventoux, de Passo dello Stelvio, de Alpe d'Huez – deze beroemde toppen zijn tempels geworden waar fietsers naartoe gaan om zichzelf te leren kennen, waar mannen en vrouwen willen laten zien wat ze waard zijn en waar de helden van het wielrennen worden geboren en ten onder gaan.

Het bedwingen van een bergpas roept een bepaald oerinstinct wakker. Van Hannibal tot Napoleon heeft de geschiedenis ons geleerd dat het hooggebergte een eeuwige uitdaging vormt voor het menselijk lichaam; de zware hellingen doen gemeen pijn en stellen ons geloof in onszelf op de proef. Het vergt een stukje van je ziel om ze te veroveren. Op elke berg die je beklimt laat je als coureur een stukje van jezelf achter.

Zowel voor wielrenners als voor toeschouwers geldt dat de beleving van het landschap direct samenhangt met de eigenheid ervan. De kenmerken die een bepaalde plek bijzonder maken, helpen ons een gevoel van verwantschap te ontwikkelen met de fysieke omgeving, er een verhaal aan te koppelen. Hieruit volgt ook dat voor elke wielrenner – professional of amateur – elke reis door een berglandschap anders is.

De eenzaamheid van de laatste man in koers, de vastberaden afdaling van de renner die in de beklimming is gelost of het zware afzien van de atleet die door zijn glycogeenvoorraad heen is: elke rit is een diep persoonlijke reis met de berg als scherprechter.

Er is een hiërarchie van bergen, bepaald door de verhalen die eromheen zijn ontstaan en het leed dat ze renners hebben aangedaan. De stijgingspercentages en de lengte geven een klim een zekere reputatie. En voor elke klimmer is er een kantelpunt. Eén berg te ver, één acceleratie te veel, één slechte dag, en alle dromen en ambities vallen aan diggelen.

Wat de foto's in dit boek laten zien, is dat elke berg uniek is en niets hetzelfde blijft: wind, regen, zon en sneeuw veranderen en bepalen de ervaring en de klim.

Ook blijkt duidelijk dat de sporen die de coureurs in de bergen achterlaten, slechts tijdelijk zijn. De grote rondes brengen een uitbundige menigte op de been, een kakofonie van geluiden en een karavaan van voertuigen die verdwijnen zodra de wedstrijd is afgelopen. Als de laatste ploegwagens in razende vaart terugrijden naar het dal, lost de menigte langzaam op. Zodra het gejuich en de aanmoedigingen zijn verstomd en de door de koers gegenereerde energie en opwinding zijn vervlogen, keert de stilte terug. De profs waren hier, en toen, een ogenblik later, waren ze weer weg. Zelfs de herinneringen, hoe vers ook in de geschiedenis van het wielrennen, worden zachtjes weggevaagd door de evolutie van dit fysieke landschap. Afgezien van de namen die in het wit op de weg staan gekalkt, is het alsof er nooit wielrenners zijn geweest.

De natuur staat onverschillig tegenover onze obsessie, en wielrenners zijn niet de enigen die de bergen bezoeken. We worden er slechts voor even geduld, tegen de voorwaarden die de natuur stelt: onze beklimmingen worden beperkt door het traject dat de weg aflegt, door wat de seizoe-nen toestaan en welke weersomstandigheden op dat specifieke moment heersen. Maar zodra de sneeuw zich terugtrekt komen de toppen tevoorschijn en staat het landschap de fietser in toenemende mate toe bezit te nemen van de ruimte.

Met de groeiende populariteit van het wielrennen zijn steeds meer mensen zich thuis gaan voelen in de bergen en hun aantal stijgt nog steeds. De bergen trekken coureurs aan uit alle hoeken van de wereld, die niets liever willen dan de worsteling met een helling aangaan, die willen weten hoe het voelt om af te zien.

Onze beleving van dit fysieke domein zou zich nooit hebben ontwikkeld zonder hulp van de technologie. De televisie heeft het spektakel van de bergen bij de mensen thuis gebracht, en nu brengen de digitale media het nóg dichterbij. In vlakke streken, ver weg van het hooggebergte, zijn renners aangewezen op de virtuele wereld om ze naar de bergen te brengen, waar ze zich thuis kunnen voelen, ook al zijn ze er niet echt.

De technologie brengt ons dichter bij de manier waarop de profs het berglandschap beleven. We kennen de kracht en de snelheden van de renners, we zien hoe ze aanvallen en hoe ze dalen. We krijgen een inkijkje in de persoonlijke ervaringen van een aantal van de beste en (naar eigen zeggen) zwaarst op de proef gestelde klimmers in de wielersport. Wat uit deze verhalen naar voren komt is dat we allemaal op onze eigen manier naar dezelfde bergtop kijken. Misschien leren we onszelf met elke bergtop beter kennen. Vast staat in ieder geval dat iedere ervaring uniek is. Uiteindelijk kunnen we nooit voorspellen hoe het verhaal zal aflopen.

Puy de Dôme: een lavakoepel en uitgedoofde vulkaan in de Auvergne.

Col d'Izoard: de top en de afdaling naar het zuiden richting Guillestre.

Noordelijke Franse Alpen

Col d'Izoard	*2.360 m*
Col de la Croix de Fer	*2.067 m*
Col du Glandon	*1.924 m*
Col de Joux Plane	*1.691 m*
Col du Galibier	***2.642 m***
Col du Télégraphe	*1.566 m*
Col du Lautaret	*2.058 m*
Lacets de Montvernier	*781 m*
Alpe d'Huez	***1.860 m***
Col de la Madeleine	*1.993 m*
Col de l'Iseran	***2.770 m***
Cormet de Roselend	*1.968 m*
Col du Mont Cenis	*2.083 m*

Met bijdragen van
Bernard Thévenet, Stephen Roche, Andy Hampsten, Paul Sherwen, Michael Blann en Michael Barry

Col d'Izoard: de kale hellingen van de Casse Déserte.

De relativiteitstheorie
Bernard Thévenet

Bergen. Als ik dat woord hoorde toen ik klein was, deed het me denken aan sneeuw, aan plekken waar je niet kon komen. Toen hoorde ik van die cols, die zware, smalle wegen waar de grootste drama's van de Tour de France zich afspelen.

Hoge bergen zijn er in Bourgondië, waar ik ben geboren, niet, wel korte, scherpe klimmetjes heuvelop. Als ik ging trainen zocht ik de langste op om sterker te worden als klimmer. Bij mij in de buurt had je de Écharmeaux, die over acht kilometer gestaag met drie procent opliep. Toen ik achttien was en het wielrennen serieus begon te nemen, deed ik die zo goed als elke dag. Als ik daar omhoog reed stelde ik me al voor als renner in de Tour de France.

Maar als je amateur wordt, tussen sterkere en meer ervaren renners, ga je beseffen dat het een droom is, want het is al een buitenkans om zelfs maar geselecteerd te worden voor de Tour. Voor mijn eerste in 1970 werd ik ook alleen maar gevraagd omdat mijn ploeggenoten bij Peugeot, Gerben Karstens en Ferdinand Bracke, ziek waren. Ik was tweeëntwintig en neo-professional, ik was bang en helemaal nog niet klaar. Ik werd op de woensdag voor de Tour opgebeld en ik moest de volgende dag aan de start in Limoges verschijnen. Ik woonde daar maar een paar uur vandaan, dus ik denk dat ik om geografische redenen ben gekozen!

Dat eerste jaar was er een van spanning en onzekerheid. Je vraagt jezelf af: 'Kan ik echt meekomen als wielrenner? Kan ik hier een carrière van tien jaar van maken?' Want op het moment dat je prof wordt weet je dat niet. Ik had echt een goede Tour nodig.

Ik moest in de bergen afzien, maar ik kon me er ook bewijzen. Dat ik als vijfde finishte op de Mont Ventoux gaf me zelfvertrouwen en daarna won ik een etappe op La Mongie in de Pyreneeën. Dat was het moment waarop ik wist dat het zou kunnen lukken. Mijn soigneur zei tegen me: 'Bernard, je bent een Tour de France-renner, want je bent nu beter dan in het begin.' Normaal word je de eerste twee weken alsmaar vermoeider, maar ik was fysiek in een betere conditie.

Klimmen is een kwestie van psychologie. Het is moeilijk te zeggen of de ene col moeilijker is dan de andere, want wat is nu uiteindelijk moeilijk? Dat is niet die berg, het is die man, de tegenstander. Ik keek naar mijn rivalen, probeerde hun vorm te beoordelen, vergeleek die met de mijne en overdacht hoe ze ademhaalden. Als je sterker bent dan je tegenstander is een col niet zo moeilijk. Als je dezelfde klim al een paar keer hebt gedaan, kun je er overheen gaan en tegen jezelf zeggen: 'Wow, het was niet zo erg als twee seizoenen geleden.' Wielrennen is een sport van relativiteit.

Ik rij liever in de Alpen dan in de Pyreneeën want het is daar vaak heet en ik hou van dat weer, bovendien heb je daar nogal wat klimmen tot boven de 2000 meter. De Col d'Izoard is mijn favoriet, want die heeft me in 1975 geholpen mijn eerste Tour de France te winnen. Ik was weggesprongen en vlak voor me reed een motor waarvoor het publiek opzij ging. Ik voelde me zo bemoedigd, zo dicht bij de mensen. Het was magisch. En de kale puinhellingen van de Casse Déserte met zijn grote rotsen zijn met niets anders op aarde te vergelijken.

Ik bezorgde de toeschouwers veel plezier en zij wilden me helpen en aanmoedigen zo goed als ze konden, dus er ontstond zo'n uitwisseling, een verbondenheid tussen het publiek en mij. We hadden allemaal hetzelfde doel: ik wilde de Tour winnen en zij wilden dat graag zien gebeuren. Het was acht jaar geleden sinds een Fransman de Tour had gewonnen en in die tijd voelde dat aan als erg lang – nu heeft het al meer dan drie decennia geduurd. Er heerste ook een verlangen naar een nieuwe winnaar; Eddy Merckx had vijf van de laatste zes Tours gewonnen, maar hij was het publiek gaan vervelen omdat hij alles won. Ik denk dat die combinatie het moment zo gedenkwaardig maakte.

Eddy Merckx verslaan was een nogal vreemde ervaring omdat ik hem voordat ik zelf professional werd enorm had bewonderd, zoals veel jonge renners. Ik had al tijd op hem gewonnen in St-Lary-Soulan en eerder in de wedstrijd op de Puy de Dôme. Maar het kwartje was pas echt gevallen in de Dauphiné Libéré vier weken daarvoor. Merckx was daar alleen omdat hij een paar dagen voor de Giro ziek was geworden en niet had kunnen deelnemen. Voor de Dauphiné had ik het idee dat hij niet te verslaan was. Dat lukte me daar wel en ik zag dat hij zwakker was.

Ik stond nog altijd enigszins onder druk, zelfs op de laatste dag onderweg naar Parijs. Het was toen niet zoals nu: Eddy viel drie keer aan dus ik moest op mijn qui-vive zijn. En naderhand was het knap hectisch, heen-en-weer getrokken worden in de horde journalisten. Maar we waren euforisch: we hadden Merckx verslagen én Molteni, de superploeg die rondom hem was opgebouwd. Wij waren kleine jongens, we hadden tot die tijd geen van allen ervaring in het verdedigen van de *maillot jaune* (gele trui) in de Tour.

Naar mijn ervaring was de strijd met Kuiper in de tweede Tour die ik won, in 1977, heftiger dan die met Merckx. Toch was die Tour voor de pers minder opwindend omdat er maar twee dragers van de gele trui waren: Thurau en ik.

Het gelukkigste moment van de race is die maandagochtend als je wakker wordt, er geen etappes meer zijn en de Tour werkelijk voorbij is. Ik had mijn droom om die te winnen waargemaakt. De gele trui zat in mijn koffer; mijn vrouw nam hem mee naar huis omdat ik overal in Frankrijk nog criteriums moest rijden.

Ik ben niet zo lang geleden nog eens de Col d'Izoard opgereden met een vriend die de *cor des Alpes* [alpenhorn] bespeelt. Het ging wat langzamer dan vroeger, dat mag je wel aannemen. Ik was sinds '75 een paar kilo aangekomen, de fiets was wat lichter maar de berijder zeker niet. Misschien zijn de wegen tegenwoordig beter en de renners nog sneller, maar de opgave verandert niet. Je moet nog altijd diep in jezelf graven.

Col de la Croix de Fer.

Col de la Croix de Fer: de 'pas van het ijzeren kruis'.

Col du Glandon: de weg over de pas werd geopend in 1898.

Col du Glandon: de klim werd voor het eerst in de Tour opgenomen in 1947.

Col du Glandon: aan het slot van de 20 kilometer lange beklimming is nog geen Touretappe gefinisht.

Col de Joux Plane, die bekendstaat om zijn verraderlijke en technische afdaling.

Col de Joux Plane, waar Lance Armstrong in 2000 zijn 'slechtste dag' op een fiets beleefde.

Col du Galibier

2.642 m

Stephen Roche

Het was in de eenentwintigste etappe in de Tour van 1987, van Bourg d'Oisans naar La Plagne. Er stonden die dag drie beklimmingen op het programma, en zodra de eerste, de Col du Galibier, zich aandiende, gingen de Colombianen in de aanval. [Luis] Herrera, [Fabio] Parra en de rest van de Café de Colombia ploeg gingen er gewoon vandoor.

Er waren valpartijen, er gingen jongens tegen de grond, maar de Colombianen hielden niet in. Ze kozen niet voor de sportieve optie om te wachten, maar zetten door en bleven tempo rijden. Omdat het nog vroeg in de etappe was, probeerden we ze ertoe te brengen het wat rustiger aan te doen: 'piano, piano,' riepen we. Dit was geen eerlijke manier van koersen en we wisten dat er renners buiten de tijd zouden binnenkomen als ze geen gas terug namen. Maar ze gaven geen krimp.

Vlak onder de top van de Galibier zaten alle favorieten voor het algemeen klassement – Jean-François Bernard, Charly Mottet, Pedro Delgado en ik – nog bij elkaar, en we overlegden. Als we zouden wachten tot de volgende klim, de Madeleine, en de Colombianen daar weer hetzelfde gingen doen, liepen we de kans gelost te worden, dus sloten we een pact: 'we zullen ze eens een lesje dalen geven'.

Afdalen is een kunst. Om snel te kunnen dalen moet je precies weten waar je moet remmen en welke lijn je moet volgen. Je moet inzicht hebben in gewichtsverplaatsing en hoe je lichaam zich op de fiets beweegt.

De afdaling van de Galibier was gekkenwerk. Het ging zo ongelooflijk snel. We reden samen als een groep, namen enorme risico's, reden de bochten als gekken, maar hadden de boel redelijk onder controle. De weg is hier en daar smal, lijk onder controle. De weg is hier en daar smal, er zijn lange stukken zonder vangrail, dus ieder foutje kon fataal zijn. Maar ons plan werkte; die afdaling deed de Colombianen de das om en ze kwamen niet meer terug.

Die etappe staat me nog zeer helder voor de geest. Niet lang nadat ik was gestopt reed ik de Galibier in een rally-auto, en de bochten, de stijgingspercentages en het straatmeubilair waren nog precies zoals ik ze me herinnerde. Pakweg drie kilometer voor de top is er een scherpe bocht naar links die geflankeerd wordt door een hoge muur. Ik kon me herinneren dat ik hier voor de laatste keer extra aanzette om de top te bereiken. Ik had er al die jaren in mijn hoofd een beeld van opgeslagen, en ik zal die bocht nooit vergeten. Het is de plek waar ons plannetje het licht zag.

Col du Galibier: ook in de zomer ligt er op de noordelijke flanken sneeuw.

Col du Galibier: de grillige toppen van de Dauphiné.

Col du Galibier: volgens Henri Desgrange waren in vergelijking met de Galibier alle andere cols 'muggenpis'.

Col du Galibier: in 2011 was de Col du Galibier het toneel van de hoogste etappefinish in de Tour de France ooit.

Col du Galibier: ter herinnering aan de geestelijke vader van de Tour de France wordt de 'Souvenir Henri Desgrange' uitgereikt aan de renner die als eerste over de top komt.

Col du Galibier: Tour de France, 2017.

Col du Galibier: Tour de France, 2017.

Col du Télégraphe: de beklimming vanuit het noorden geldt als de moeilijkste.

Col du Télégraphe: op de top staat een fort, het Fort du Télégraphe.

Donkere dagen
Stephen Roche

Ze zeggen wel eens dat de Tour jou verlaat, maar jij nooit de Tour.

Het gebeurde onder aan de Hautacam, in de Tour van 1986. Ik was net hersteld van een knieblessure en stond er belabberd voor, zowel in de etappe als in het algemeen klassement. Mijn knie deed vreselijk veel pijn en toen de beklimming naderde werd het me te veel. Ik reed over een oude stenen brug, kneep in de remmen en stapte van mijn fiets. Daar zat ik dan langs de kant van de weg. Ik had opgegeven; voor mij waren de etappe en de hele Tour voorbij.

Nadat ik daar een paar minuten had gezeten, kwam er een oude man op me af. 'Roche, waar ben je mee bezig?' zei hij. Ik antwoordde in het Frans, 'Ik kan niet meer, ik ben doodop, ik kom nooit op de top van de Hautacam.'

'Een renner zoals jij, die moet doorgaan. Neem een slok water en stap weer op je fiets.'

Ik antwoordde dat ik geblesseerd was en pijn had, maar hij zei alleen maar: 'Je moet doorgaan.' Dus gaf ik hem mijn Carrera-petje, zwaaide mijn been over het zadel en reed door. Na afloop kon ik geen pap meer zeggen, maar ik had de eindstreep gehaald.

Het jaar daarop won ik de Tour de France. De voorlaatste etappe was een tijdrit in Dijon, die werd gewonnen door Jean-François Bernard. Toen ik over de meet kwam, ving ik een glimp op van een man die een wit Carrera-petje droeg: het was de man van de brug. We maakten een praatje en ik bedankte hem voor zijn steun op die dag. Op rustige toon, maar met volle overtuiging zei hij: 'Je had gelijk dat je doorging.'

Ik was geen geboren klimmer, ik werd een klimmer door het te leren en dat heb ik voor een groot deel aan Robert Millar te danken. De achttiende etappe van de Tour van 1983 eindigde op de Joux Plane, even buiten Morzine. Het was mijn eerste Tour en ik reed iedere dag of mijn leven ervan afhing. Ik zat met Millar in een achtervolgende groep en toen hij uit die groep wegsprong, lukte het me naar hem toe te springen. De hele weg tot de finish zat ik in zijn wiel.

Ik keek naar alles wat Millar deed: hoe zijn lichaam bewoog, de manier waarop hij pedaleerde. De hele weg omhoog bleef zijn cadans vrijwel gelijk; toen hij eenmaal zijn ritme te pakken had, bleef hij dat volhouden, waarbij hij zijn pedaalslagen één voor één wegtikte. Robert kwam nauwelijks uit het zadel. In de bochten nam hij even gas terug om vervolgens extra hard aan te zetten; het zag er allemaal even gemakkelijk uit. Moeiteloos.

Gedurende de hele klim, elf kilometer lang, bleef mijn blik op zijn wiel gefixeerd – ik wist dat ik niet mocht lossen. We kwamen in precies dezelfde tijd binnen, maar hij had echt geklommen terwijl ik alleen maar had aangeklampt. Maar dat aanklampen dwong me te blijven kijken en observeren en daar had ik erg veel van geleerd. Tot dat moment reed ik altijd gewoon naar boven, maar op die dag werd ik een klimmer, wat betekende dat ik nu een serieuze kanshebber voor de grote rondes kon zijn.

Elke klimmer heeft zijn zwakke punten. Ik wist dat als ik een te onregelmatig tempo zou rijden ik nooit de top zou halen, dus ik moest vooral rustig en consequent te werk gaan. Mijn rit naar La Plagne in 1987 was een spel van kat en muis. Pedro Delgado wist hoe ik reed. Hij wist dat het mij de kop zou kosten als hij me ertoe kon verleiden steeds weer op zijn aanvallen te reageren en mee te springen, dus dat was precies wat hij probeerde te doen. Hij viel onmiddellijk aan en ik moest hem laten gaan. Als ik met hem meeging, zou ik niet eens boven komen. Ik mocht me niet gek laten maken, maar intussen zat ik constant te denken: 'Hoever mag ik hem laten gaan? Hoe vaak zal ik hem laten aanvallen?'

Op beklimmingen als de Alpe d'Huez, met zijn steile bochten, maakte Delgado korte metten met me; zelfs met de gele trui om mijn schouders verloor ik op die klim twee minuten op hem. Maar op een meer geleidelijke beklimming kon ik mezelf zijn, in mijn eigen ritme blijven, en dat deed ik op La Plagne. Ik liet hem een minuut uitlopen, een minuut tien, een minuut twintig, maar op een bepaald moment mocht ik het gat niet groter laten worden. Het was een gok: had hij zichzelf opgeblazen of leeggereden, of had hij nog iets over? Om de Tour te winnen mocht ik hooguit dertig seconden op hem verliezen, maar ik zag geen betrouwbare tijdwaarneming en de ploegleiderswagen zat te ver naar achteren. Bovendien kon ik door het lawaai van de toeschouwers om me heen toch niets horen. Ik wachtte tot op vier kilometer voor de finish en gaf vervolgens alles wat ik nog in me had. Pas toen ik op tweehonderd meter voor de meet door de laatste bocht kwam, zag ik Delgado. Toen wist ik dat het me gelukt was, ik had het spel goed gespeeld.

Col du Lautaret: overschaduwd door de lagere hellingen van de Col du Galibier.

Lacets de Montvernier: 'lacets' betekent 'schoenveters'.

Lacets de Montvernier: de klim, wel beschreven als een speelgoedracebaan in de bergen, telt zeventien haarspeldbochten op twee kilometer; om de 100 meter draait de weg helemaal terug.

Alpe d'Huez

1.860 m

Andy Hampsten

De weg naar de Alpe d'Huez is zo saai dat het een van mijn minst favoriete beklimmingen is, maar het is wel een theater voor het wielrennen. De brede weg is zo aangelegd dat hij ook in besneeuwde staat goed begaanbaar is voor wintersporters, maar vul hem met toeschouwers en wielrenners en er ontstaat vanzelf een volksfeest.

Het is fantastisch om op de Alpe d'Huez naar boven te fietsen. De menigte zorgt voor een waanzinnige energie. De klim is overgewaardeerd, waardoor je veel meer druk voelt dan nodig is, maar al met al is het de mooiste etappe van de Tour de France, toch al een overgehypt evenement waarin voortdurend alle registers worden opengetrokken.

Het is niet de moeilijkste beklimming en wordt waarschijnlijk alleen als 'hors catégorie' ('buitencategorie') aangemerkt omdat de etappe hier eindigt, maar tijdens de Tour wordt het een soort wereldkampioenschap voor klimmers. Die

dag in 1992 toen ik op de Alpe d'Huez won, wilde ik mijn positie in het algemeen klassement verdedigen, maar ging het me toch vooral om de winst van de etappe.

Ik ben niet dol op de eerste kilometers van de klim, dus ik had me voorgenomen in het laatste derde deel toe te slaan. Twee van de jongens in de kopgroep, Jan Nevens en Jesús Montoya, moesten al snel lossen. Toen we de steilere haarspeldbochten naderden, versnelde ik, zonder uit mijn zadel te komen en met een licht verzet om de indruk te wekken dat ik me nog prima voelde.

Op dat moment loste Éric Boyer en verloor Franco Vona twee of drie fietslengtes. Ik hield de druk erop en dwong Vona alles te geven om zich meter voor meter terug te knokken, maar het lukte hem niet weer in mijn wiel te komen. Het had gewerkt.

Op de Alpe d'Huez kun je je gemakkelijk laten meeslepen – de mensenmassa's, de overwinning,

het doet zo veel met je – maar ik hield nog wat over voor de laatste drie kilometer. Dat laatste stuk is pittig: de weg golft op-en-neer en de rijen toeschouwers langs de weg worden dikker en dikker.

In 1989 kampte mijn hele ploeg tijdens de etappe naar de Alpe d'Huez met een voedselvergiftiging. Juist die dag had Eddy Merckx, onze nieuwe sponsor, uitgekozen om mee te rijden in de ploegleiderswagen. 'Andy,' zei hij tegen mij, 'vandaag ga ik je volgen om je te zien winnen op de Alpe d'Huez.' Ik eindigde die etappe als 84ste. Ik begon in de kopgroep en finishte in de achterhoede, maar ik gaf honderd procent omdat ik wist dat Merckx in de auto achter me zat. Na de etappe stapte hij uit en zei: 'Morgen is er weer een dag. Zeg maar niks, ik begrijp het helemaal.' In 1992 plukte ik de vruchten van die dag en stelde me voor dat Merckx in de auto achter me zat. Ik won.

Alpe d'Huez: de renners moeten 21 haarspeldbochten nemen voordat ze het skistation bereiken.

Alpe d'Huez: de 'Nederlandse bocht': Joop Zoetemelk legde met zijn twee overwinningen de basis voor de Nederlandse liefdesaffaire met de Alpe.

Alpe d'Huez: volgens velen de meest iconische klim van de Tour de France.

Alpe d'Huez: het dal voert in oostelijke richting naar Briançon.

Alpe d'Huez: door het dal loopt de weg van Grenoble naar Bourg-d'Oisans.

De klimmer
Paul Sherwen

Ik zag mijn eerste bergmassief toen ik mijn eerste Tour de France reed. Ik groeide op in Oost-Afrika; daar hadden we wel bergen, maar die leken ver weg, ergens voorbij het einde van de vlakten. Toen ik voor het eerst echte bergen van dichtbij zag, maakte dat een enorme indruk.

Ergens aan het begin van mijn carrière begon het me te dagen dat ik niet voor het echte klimwerk in de wieg was gelegd. Die eerste ervaringen in de Alpen en Pyreneeën waren verschrikkelijk, een vernedering; ik kon niet in het peloton blijven of zelfs maar tussen de volgwagens. Ik stond er alleen voor. Maar ik realiseerde me dat ik een manier moest vinden om ermee om te gaan. Ik moest op tijd binnen zien te komen.

Ik heb aan de universiteit gestudeerd en was goed in wiskunde, waardoor ik in staat was de tijdslimieten tot op de seconde te berekenen. De avond voor een bergetappe rekende ik precies uit hoe hard ik moest rijden en hoe lang ik dat vol moest houden. Dat noteerde ik op een kaartje en leerde ik vervolgens uit mijn hoofd. Het was voor mij van cruciaal belang om precies te weten hoe hard ik moest rijden en hoe lang ik moest klimmen, en dat is het voor veel deelnemers aan de Tour de France nog steeds.

Op sommige dagen zaten er twintig of dertig renners 'in de bus' helemaal achter in de koers, maar de etappes die me het best zijn bijgebleven en die ik nooit zal vergeten, zijn die waarin ik op mezelf was aangewezen, gelost uit de laatste groep, happend naar adem, worstelend met de pedalen om koste wat kost in koers te blijven. Op dat soort dagen had ik een bepaald beeld in mijn hoofd: ik zag dan boven de eindstreep een spoorboom die langzaam naar beneden ging. Ik moest nog net op tijd onder die spoorboom door duiken om veilig te zijn, wat me meestal lukte.

Ondanks de worsteling begreep ik dat de bergen er nu eenmaal bij hoorden. Omdat ze in de grote rondes nu eenmaal een hoofdrol spelen, zul je er overheen moeten, ook al heb je er nog zo'n hekel aan. Er waren momenten dat de bergen me de das omdeden. Tijdens de Tour de France van 1983 zat ik in de beklimming van de Col de la Madeleine. Ik had bronchitis en was misselijk. Ik herinner me dat ik omhoogkeek naar de tweeduizend meter hoge col en me volledig gesloopt voelde. Ik stapte af, ik was verslagen.

Mijn bijnaam was 'de klimmer'. Dat was een grap omdat ik altijd als eerste moest lossen, maar voor anderen was ik wel een goede metgezel omdat ik erom bekend stond bijna altijd net binnen de tijdslimiet te finishen. Als we achterin moesten lossen, kregen we van de passerende ploegleiderswagen een pomp en een reserveband, en dan was het: 'Veel succes jongens.'

Aan sommige van die etappes heb ik alleen nog vage herinneringen, maar andere liggen nog vers in mijn geheugen. In de Tour van 1980 beklommen we de Alpe d'Huez. Ik reed naast Allan Peiper. We zaten allebei op de grens van ons fysiek vermogen. In die toestand kun je irrationeel gedrag gaan vertonen, gekke dingen doen om jezelf op te peppen. In de jaren tachtig stonden overal langs de klim Nederlandse toeschouwers, niet alleen in de Nederlandse bocht. Ze namen bezit van de weg, de hele klim was van hen, en vaak hielpen ze de Nederlandse renners door ze te duwen. Op een gegeven moment duwde iemand een renner en bleef toen midden op de weg staan. Allan kon nergens heen en reed tegen hem op, en toen brak er iets in hem.

Er is een bakstenen muur aan de rechterkant van de weg. Ik keek achterom en zag hoe Allan de man tegen de muur aan drukte. Hij sloeg hem bont en blauw. Ik trok Allan weg en spoorde hem aan weer op de fiets te springen zodat we nog op tijd konden finishen. Maar hij begon te huilen en te snikken, waarna ik de hele klim op hem in moest praten om uitschakeling te voorkomen. We zaten niet eens in hetzelfde team: hij reed voor Peugeot en ik voor La Redoute. De Colombiaan [Luis] Herrera won die dag, maar ik betwijfel of hij de Alpe op dezelfde manier heeft beleefd als ik. We hadden de tijdslimiet op het nippertje gehaald.

De volgende dag startten we aan de voet van de Alpe d'Huez, in Bourg-d'Oisans, en gingen meteen over de Galibier. Dat is een verschrikkelijk lange, beestachtige beklimming van bijna twintig kilometer. Pedro Delgado en Luis Herrera gingen er meteen vanuit de startblokken als gekken vandoor. Het peloton ging op een lint en iedereen werd gek. Op een bepaald moment kwam Sean Yates uit het zadel en riep: 'Jullie zijn allemaal totaal gestoord!' De mannen vooraan hoorden hem niet, maar hij had in elk geval even zijn hart gelucht. Toen keek Yates opzij naar Peiper, die naast hem reed en zei: 'Maak je niet druk. De klimmer zit achter je.' En dat klopte.

Het was een van die dagen dat ik me serieus afvroeg of ik het wel zou halen. De etappe eindigde op de top van La Plagne, nog zo'n lange klim. Om op zulke dagen de tijdslimiet te halen moet je risico's nemen; we zaten met zes man in de laatste groep, reden kop over kop op het vlakke en namen grote risico's in de afdaling; we sneden de bochten af en gingen te hard.

In die tijd volgden de toeschouwers langs de kant de wedstrijd nog via de radio. We konden horen wie de etappe had gewonnen – dat was Laurent Fignon – maar voor ons was het nog 17 km naar de streep en ik wist dat we nog 27 minuten hadden. Peiper en ik waren samen – de etappe naar Alpe d'Huez had een band tussen ons gesmeed – maar het was een van die dagen dat ik de spoorboom dicht zag gaan. We reden harder en harder en konden er nog net met ons hoofd onderdoor.

Col de la Madeleine: met een lengte van meer dan 24 km is dit een van de langste beklimmingen in de Alpen.

Col de l'Iseran

2.770 m

Michael Blann

Het was een zinderend hete dag in de Tour van 1992 en ik stond met duizenden andere fans op de slotklim naar Sestrière te wachten op de renners. Groepjes mannen zaten aan draagbare radio's gekluisterd om de ontwikkelingen in de etappe te volgen. Flarden informatie kwamen via de ether tot ons: vrijwel direct na de start van de etappe, met nog liefst 250 kilometer te gaan, had zich een kopgroep gevormd. Op papier was dat pure zelfmoord, maar de groep telde een aantal gerenommeerde namen: Sean Kelly, Raúl Alcalá, Richard Virenque, Thierry Claveyrolat en, last but not least, Claudio Chiappucci, die de grootste bedreiging voor het algemeen klassement vormde.

Vergeleken met de vele liefhebbers die de wedstrijd elk jaar volgden, was ik een beginneling die pas voor de tweede keer langs de kant van de weg naar de Tour kwam kijken. Terwijl de temperatuur tot grote hoogte steeg, zocht ik de schaduw van een boom op en stelde ik mezelf op rantsoen door steeds hooguit één slokje water uit mijn bidon te drinken (het zou een lange dag worden). In de koers voerde Chiappucci langzaam de druk op, waardoor op elke klim renners uit de kopgroep werden gelost. Tegen de tijd dat de Col de l'Iseran opdoemde, was alleen Virenque

nog over, en halverwege de 37 kilometer lange beklimming was ook die verdwenen.

Chiappucci was sterk en vertrouwde op zijn spierkracht om een constant hoog tempo te ontwikkelen; hij miste de sierlijkheid of finesse van een pure klimmer, maar vinkte de cols één voor één af. Vanaf de top van de Col de l'Iseran, de hoogste pas van Europa, zou Chiappucci aan de horizon Italië kunnen zien liggen. Er leek een thuiszege aan te komen en de Italiaanse fans verkeerden al helemaal in feeststemming.

Er drong langere tijd geen informatie tot ons door en er hing een verwachtingsvolle spanning in de lucht. Totdat plotseling het ronken van helikopters klonk die over de bergrug kwamen aanvliegen: het wachten was voorbij.

De toeschouwers zwermden uit over de weg om een eerste blik van de koers op te vangen. Toen de eerste renner in zicht kwam, volgden we hoe hij vorderde op de klim. De menigte, vier rijen dik, maakte ruimte vrij en daar, te midden van alle drukte en lawaai, dook opeens Chiappucci op, met holle ogen en een getekend gezicht, en zoutvlekken op zijn bolletjestrui en broek. Een paar tellen later was hij alweer verdwenen.

Eén voor één worstelden de renners zich naar boven. Miguel Indurain, Franco Vona, Gianni

Bugno en Andy Hampsten waren er nog redelijk aan toe, maar de meesten waren bezweken onder de hitte en reden in een soort dodenmars naar de eindstreep. Vijftig minuten later kroop er een groep voorbij met drievoudig Tourwinnaar Greg LeMond, buiten de tijdslimiet en dus uit de Tour.

Op dat moment voelde ik me bedrogen; het wachten leek in geen verhouding te staan tot de paar blikken die ik van de renners had opgevangen. Maar later begreep ik dat ik getuige was geweest van iets historisch. De gebeurtenissen van die dag hebben zich in mijn brein genesteld: de menigte, het wachten, de brandende zon, de fysieke uitputting van de renners. Het was onmenselijk. Stephen Roche bekende ooit: 'Dat was mijn moeilijkste dag op de fiets ooit.'

Toen ik de Col de l'Iseran bezocht om hem te fotograferen voor dit boek, stelde ik me voor dat ik Chiappucci en alle andere renners over de kam zag komen en in de verte richting Italië zag turen. Ik begreep dat er een symbiotische relatie bestaat tussen de bergen en het wielrennen. De bergen bieden een platform waarop geschiedenis wordt geschreven, en het wielrennen en de grote rondes geven op hun beurt betekenis aan de bergen. Dat is wat ons aantrekt in de bergen: we treden er in de voetsporen van onze helden.

Col de l'Iseran: de hoogste bestrate pas van Europa.

Col de l'Iseran: de noordelijke route naar Val d'Isère.

Col de l'Iseran: de zuidelijke route naar Italië.

Col de l'Iseran: de weg over de pas, oorspronkelijk een ezelspaadje, werd geopend in 1937.

Col de l'Iseran: het duurde vierendertig jaar voordat de weg voltooid was.

Col de l'Iseran: het uitzicht vanaf de top, naar het noorden richting Val d'Isère en naar het zuiden richting Italië.

Col de l'Iseran: la Chapelle Notre-Dame de Toute-Prudence.

Cormet de Roselend: in de Tour de France van 1996 miste Johan Bruyneel in de afdaling een bocht naar links en schoot van de weg af. Hij bleef ongedeerd.

Cormet de Roselend: aan de westkant van de pas ligt het Lac de Roselend.

Stagiair
Michael Barry

Ze rookten en spraken een taal die ik niet kon thuisbrengen. De lucht in de auto was zwaar van diesel en sterke sigaretten. Het was een Lada of een Skoda of zo, ergens uit Oost-Europa in elk geval. Mijn herinneringen zijn vaag, alsof de kou mijn geest had bevroren. We daalden de laatste meters van de pas af, richting ravitaillering, waar ik, als ik nog steeds op mijn fiets had gezeten, me even zou hebben opgewarmd, een jack had kunnen aantrekken alvorens door te ploeteren naar de eindstreep in Le Grand Bornand.

Het sneeuwde zo hard dat de ruitenwissers het maar met moeite konden bijhouden. Ik zat weggedoken in de hoek, tegen de passagiersdeur, genesteld tegen – nee, ingeklemd tussen de mecanicien, de reservewielen, de gereedschapskoffer, een dozijn waterflessen en genoeg etenszakjes voor het hele team. Op de bergweg hadden fietsbanden dunne lijntjes in de sneeuw gegraveerd. Ik staarde uit het raam, verkleumd en verslagen.

Voordat ik had opgegeven, had ik het op de top al koud gehad, en er lag een dik pak sneeuw op de weg. Terwijl ik me voorbereidde op de afdaling van twintig kilometer had ik de berijder van een tv-motor gevraagd of ik zijn handschoenen mocht lenen, een minuutje maar. Maar hij weigerde, zonder een greintje medelijden.

Op de top lag een café waar een stel racefietsen tegenaan was gezet, herkenbaar aan hun wedstrijdnummers en hun glinsterende lak. Ik wilde niet met mijn rivalen mee naar het warme café, want ik wilde niet opgeven. Vóór mij, op het besneeuwde wegdek, lag mijn kans om een doel te bereiken, een droom waar te maken: ik stond in de top tien van de Tour de l'Avenir, en dat bleef niet onopgemerkt bij de ploegbazen. Dit was de voorlaatste etappe. Er zat een contract aan te komen, ik wist het zeker. In de bergen worden kampioenen geboren. En wielercarrières gebroken…

Aan de startlijn had ik voor mezelf de dag alvast in kaart gebracht. Boven ons kwamen onheilspellende wolken opzetten, wat een temperend effect had op het enthousiasme van de menigte.

Als Canadees wist ik wel raad met de koude

regen, dacht ik. Maar ik was in alle opzichten slecht voorbereid: ik droeg alleen een Lycra koersbroek, een dun truitje en armwarmers. Ik had niet eens een waterdicht jack. Uit de luidsprekers schalde Gloria Gaynors 'I Will Survive', dat me nog lang nadat ik van mijn fiets was gestapt zou achtervolgen.

Het was de langste klim die ik ooit in een wedstrijd had gereden: 20,3 kilometer lang en 1.227 meter hoogteverschil. Het peloton spatte al vroeg in stukken uiteen en vooraan was een groepje ontsnapt. Dit betekende dat de ploeg die de achtervolging leidde, ONCE, een tempo ontwikkelde dat het uiterste van ons vergde. Langs de weg stond een bord: '20 km au sommet'. Ik probeerde het te negeren. Bij dit tempo zouden maar weinig renners de voorsten langer dan een kilometer of twee kunnen volgen. Daarna zou het ieder voor zich zijn en zouden we alleen of in kleine groepjes naar de top rijden, uren verderop.

We reden een bos in en de weg werd smaller. Het asfalt was ruw, met een slijtlaag waar de banden zich in groeven, wat de beklimming nog lastiger maakte. De regen ging langzaam over in sneeuw. Tussen hun hijgende ademtochten in schudden de renners hun hoofd: 'Waar zijn we mee bezig?' Niemand opperde de mogelijkheid de koers te staken.

De wedstrijd was verworden tot een pure overlevingstocht. Een heel peloton jonge jongens, allemaal onder de 25, vocht zich een weg omhoog op een berg, met nog vier cols te gaan tot de finish. We mochten dan wel als groep samen rijden, maar uiteindelijk was het ieder voor zich om het hogere doel te bereiken dat we voor ogen hadden: profwielrenner worden en in de Tour de France over de bergen vliegen. We waren hard op weg om die droom te verwezenlijken, en dit was geen goed moment om op te geven.

Ik was op mijn twintigste naar de Franse Alpen verhuisd om amateurkoersen te rijden, en ondanks mijn jeugdige leeftijd begon ik al te rijden en me te voelen zoals mijn helden. Ik had die sensatie alsof je vliegt – als de fiets een uur lang in één

vloeiende lijn onder je door beweegt, naar links en rechts hellend als de renner uit het zadel gaat, tikkend als een metronoom als hij stevig in het zadel zit en zijn adem gelijk opgaat met zijn benen en het aantal pedaalslagen, dat alleen toeneemt als hij door een haarspeldbocht stuurt.

In het fietsen kan niets tippen aan klimmen. Veel van mijn mooiste dagen heb ik doorgebracht op een fiets in de bergen. In mijn kinderjaren waren kleine heuvels mijn alpenpassen; het gevoel om op de top aan te komen was met niets vergelijkbaar.

De mecanicien drukte zijn sigaret uit in de asbak, pakte me stevig vast en schudde me door elkaar om mijn bloedsomloop te stimuleren. Ik voelde het vet op zijn handen maar duwde hem niet van me af; ik was te moe, te veel van slag, en de aanraking door een ander voelde als een troost. IJlend van de kou sloot ik mijn ogen, ik wilde niet toegeven dat mijn wedstrijd voorbij was.

De mecanicien en de *directeur sportif* waren gestopt nadat ze me in de afdaling waren gepasseerd. Net als de meeste profrenners wilde ik koste wat kost de eindstreep halen en zei: 'Nee, ik fiets door.' Maar ze trokken me van mijn fiets en zeiden dat ik absoluut moest stoppen omdat ze bang waren dat ik anders meer zou verliezen dan alleen een wielerrace. Uren later werd ik wakker in een andere auto, de Canadese volgwagen, die buiten het teamhotel geparkeerd stond. Van de ruim honderd renners die 's morgens waren gestart, hadden er nog geen veertig de eindstreep gehaald.

Drieënhalve maand eerder had ik in een Duitse hotelkamer op de televisie naar de Tour de France gekeken, met mijn Canadese ploeggenoot Steve Bauer. We bereidden ons voor op de Olympische Spelen in Atlanta. Ik was een jonge amateur, Bauer een oudgediende prof. Terwijl de wedstrijd de top van de Cormet de Roselend bereikte, somden de commentatoren de renners en de onderlinge tijdsverschillen op. Ullrich, Riis, Virenque, Escartin, Leblanc … het was 1996. Ze vlogen.

Op televisie zag het er gemakkelijk uit. Ik zou daar best tussen passen, dacht ik. Bauer

had veertien keer de Tour gereden, was ooit als vierde geëindigd en had een paar keer de gele trui gedragen. Zijn commentaar was dat van een vakman: hij kende de renners persoonlijk en leek elk stukje asfalt te herkennen. Terwijl de groep bezig was met de afdaling, vertelde Steve dat er zo een gevaarlijke bocht aan kwam waar regelmatig renners onderuit gingen.

Even later miste een renner de bocht, schoot van de weg af en verdween in het dichte struikgewas. De commentatoren verkeerden in shock. Steve zweeg, zijn ogen stonden wijd open. Hij vreesde het ergste voor zijn collega. Een paar tellen later waren een paar motorrijders en ploegwagens ter plekke. Ze trokken een renner omhoog uit de bosjes een meter of tien lager: het was nummer 81. Johan Bruyneel. Hij was aan de dood ontsnapt en had nauwelijks een schrammetje. Hij klom op een reservefiets en zette meteen de achtervolging in op de kopgroep.

Maanden later zag ik dezelfde bocht toen ik in de Tour de l'Avenir over dezelfde col reed. In de vallende sneeuw dacht ik: 'We zijn altijd overgeleverd aan de genade van de bergen, hoe goed of hoe fit we ook zijn.' Naarmate wielrenners meer ervaring opdoen, leren ze de bergen te respecteren. Er zijn maar weinig passen die geen sporen op mijn lichaam of geest hebben achtergelaten. De goede en slechte herinneringen blijven, net als de littekens die ik heb overgehouden aan valpartijen. De trofeeën staan nu in de prijzenkast, en ik weet nog precies op welke bergen ik als eerste boven kwam. Ik weet nog in welke versnelling ik trapte, met welke renners ik reed en de keren dat de inspanningen me te veel werden en ik bezweek.

Die contrasten vormen de kern van het avontuur. Op een berg kan een wielrenner in een ritme komen waarbij hij opgaat in zijn gedachten. Hij kan zijn adem zijn tempo laten bepalen met een gelijkmatige intensiteit, en rust vinden in de inspanning. Daarom zal ik in de bergen blijven fietsen totdat ik te oud of te gebroken ben om op een fiets te klimmen.

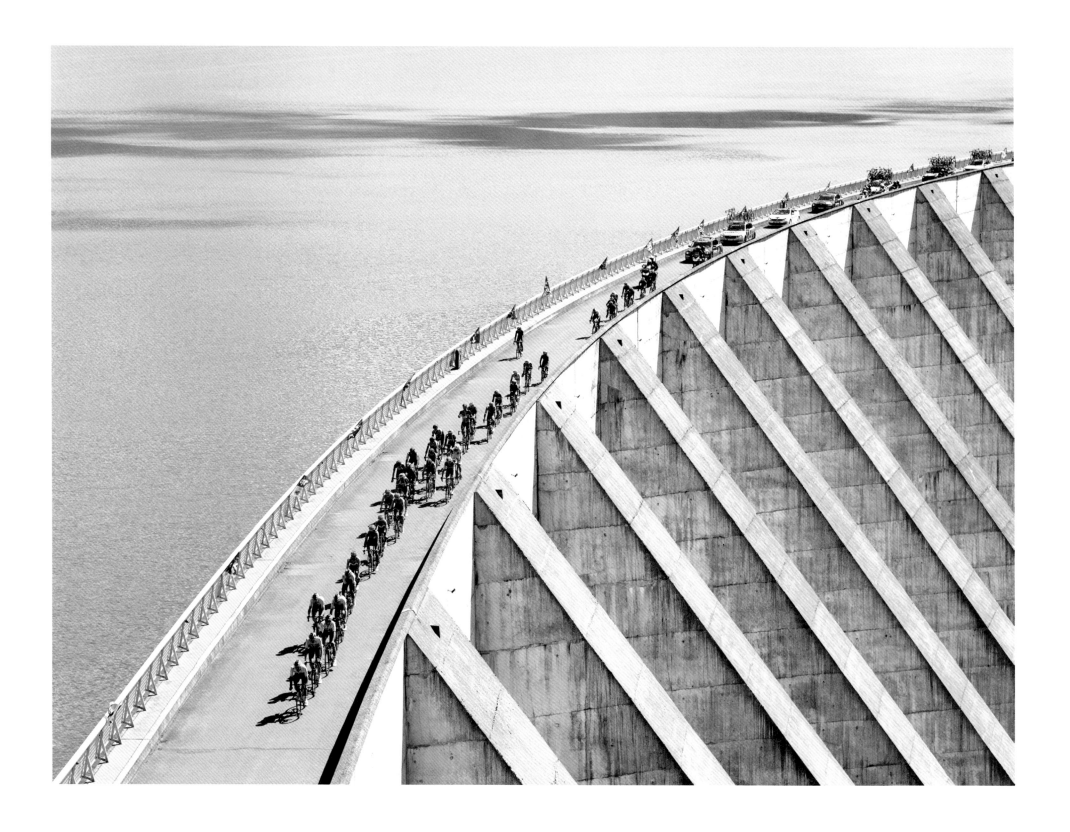

Barrage de Roselend: de stuwdam van Roselend, voltooid in 1962, is 150 meter hoog en bijna een kilometer lang.

Col du Mont Cenis: het Musée de la Pyramide kijkt uit op de dam.

Col du Mont Cenis: de weg over de pas werd tussen 1803 en 1810 aangelegd in opdracht van Napoleon.

Col de la Cayolle: vroeg ochtendlicht aan de voet van de klim.

Zuidelijke Franse Alpen

Col d'Allos	*2.250 m*
Col de la Bonette	***2.715 m***
Col des Champs	*2.087 m*
Col de la Cayolle	*2.326 m*
Col de Braus	*1.002 m*
Col de la Madone	*925 m*
Mont Ventoux	***1.912 m***

Met bijdragen van
Romain Bardet, Philippa York en Greg LeMond

Col d'Allos: een helikopter volgt de ontwikkelingen in de Tour de France voor de televisie.

Col d'Allos: de neutrale materiaalwagen van Mavic rijdt achter de kopgroep.

Vrijheid
Romain Bardet

Elk jaar voel ik na de chaos van de bergetappes de behoefte om met mijn fiets terug te keren naar de Alpen; ik in mijn eentje tegen de berg in al zijn zomerse pracht.

Als je de Tour de France aan het rijden bent, kun je onmogelijk oog hebben voor de schoonheid en de waarde van de bergen. De uitgestrektheid, de rust en harmonie, de enorme rijkdom van de panorama's die je mist doordat er zo veel op het spel staat. In de koers wordt de gelukzaligheid die je aan het klimmen zelf kunt ontlenen, altijd overtroffen door de drang om te winnen.

Die ritten na afloop van het seizoen, daar kan ik pas echt van genieten. Alleen zijn met je fiets, bij het krieken van de dag, als de berglucht nog koel en fris is, boven in het hooggebergte, iets mooiers is er niet. Je hebt alleen het hoognodige bij je: een windjack, een bidon met water, en 20 euro in je achterzak, meer heb je op dit soort tochten niet nodig.

Dit is het moment waarop je je fiets kunt laten dansen op het ritme van de weg. Het is heerlijk om het draaien en keren van de weg over een bergpas te volgen, maar je hebt daar eerst wel een prijs voor betaald: het is het loon van die afmattende weken hoogtetraining in het voorjaar.

Het verlangen naar de toppen en die momenten van vrijheid op twee wielen zijn onbetaalbaar, synoniem met zomerse vreugde, met 'loslaten' na de maandenlange beproevingen en discipline van het koersen.

De eerste keer dat ik een tocht als deze maakte, was onvergetelijk. Kort na afloop van de Tour de France, afgemat door drie weken mediagekte, besloten we met een groepje vrienden een tocht te maken in de bergen rond Val d'Isère. Bevrijd van het keurslijf dat met een succesvol seizoen

gepaard gaat, voelde ik me topfit. Nadat ik me wekenlang had moeten inhouden, kon ik eindelijk alles uit mijn benen halen en fietsen zoals ik wilde, voor mezelf.

Zodra we een beklimming naderden was het alsof de berg me naar boven trok. Ik kon mezelf er niet van weerhouden het tempo op te voeren, en ik omarmde elke hoogtemeter die op het asfalt voor me lag. Met elke meter die we klommen leken er meer endorfines door mijn lijf te kolken. Op de top stapten we af om te ontspannen, koffie te drinken en verse crêpes te eten in een moment van intense vriendschap.

Mijn favoriete beklimming tijdens deze 'vakanties' was de Col de l'Iseran vanaf het skistation in Val d'Isère; het alpine landschap is daar uniek, het asfalt perfect en het stijgingspercentage wisselt voortdurend: een ware traktatie voor de purist.

Op mijn programma stond een intervaltraining naar boven; ik wilde mijn lichaam laten wennen aan de vele tempowisselingen die kenmerkend zijn voor de wedstrijden in het naseizoen. Aanvankelijk had ik een trainingssessie van een half uur in gedachten, maar ik kon de verleiding niet weerstaan en fietste door tot op de top op 2.700 meter. Ik werd bedwelmd door het gevoel van snelheid, verlokt door de wisselende ritmes van de klim. In het wielrennen gaat het om méér dan alleen afgemeten trainingen; spontane tochten zoals deze zijn de ware essentie van onze sport.

Deze ritten vormen me: ze maken deel uit van een reis, een pad, met aan het eind de renner die ik hoop te worden. In dit soort tochten en dit gevoel van vrijheid wordt de kiem gelegd voor latere spontane aanvallen en solo-ontsnappingen tijdens wedstrijden.

Tijdens de beklimming en afdaling van de Col d'Allos in het Critérium du Dauphiné van 2015 kwam mijn onstuimige wens om als eerste de berg te bestormen, met het jagende peloton achter me aan, tot vervulling. Deze prachtige berg met zijn unieke uitstraling, relatief onbekend vóór de koers, bood me een kans.

Aan de voet van de klim zat ik ingeklemd in het peloton en voelde ik me opgesloten, dus bedacht ik een plan om te ontsnappen. 'Eén aanval, eentje maar, om als eerste solo boven te komen': de woorden zongen rond in mijn hoofd. 'Daarna stort je jezelf vol in de afdaling,' zei ik tegen mezelf. 'Neem de risico's, ervaar de unieke sensatie van hard rijden en de fiets nog net onder controle hebben.'

Het piepen van de banden van de auto van de wedstrijdleider was een wake-up call die me deed beseffen dat ik met de grenzen van de rede flirtte; tijdens een afdaling in een koers is het mogelijk om, balancerend op twee wielen, auto's bij te houden die tien keer zoveel vermogen hebben.

Een rechte weg, plotseling geflankeerd door een steile rots en een stenen muurtje, ter beveiliging tegen een afgrond die even diep als bedreigend is. We waren vooraf gewaarschuwd voorzichtig aan te doen. Maar ik wist dat ik van de slechte reputatie van de afdaling kon profiteren, dus besloot ik nog vóór de klim dat ik als eerste aan de afdaling wilde beginnen. Ik wilde profiteren van de angst die in het peloton leeft.

Wat volgde waren een eenzame klim, een achtervolging, een jacht door een troep wolven rond de geletruidrager die zo hongerig waren dat ze alleen met een overwinning genoegen namen. Dat is de prijs van een zege in de bergen, maar toch wil ik nog meer.

Col d'Allos: de bloedstollende afdaling terug naar Barcelonnette.

Zuidelijke Franse Alpen
Col de la Bonette
2.715 m

Philippa York

Ik fiets graag omhoog, maar 24 kilometer bergop fietsen naar 2.802 meter boven de zeespiegel is intimiderend, ook al ben je gemotiveerd en heb je een plan (als eerste op de top aankomen).

Het komt maar zelden voor dat je de kans krijgt jezelf te meten met alles wat de Col de la Bonette te bieden heeft. De top is het grootste deel van het jaar dicht en de klim wordt niet vaak opgenomen in grote wedstrijden. De Tour de France is hier pas twee keer geweest, en in beide gevallen was het tot mijn genoegen Federico Bahamontes die als eerste boven kwam. Dat de klim maar zelden in wedstrijden figureert maakt hem extra aantrekkelijk, net als de eervolle kans te worden toegevoegd aan een tamelijk exclusief lijstje.

Als we Jausiers verlaten en in de richting van de Bonette fietsen heeft de koers zich grofweg volgens het verwachte scenario ontwikkeld: een mix van wachten, verstoppen en afzien op de beklimmingen van de Col d'Izoard en de Col de Vars, en intussen meegaan met het opgelegde tempo. Inmiddels heb ik het hele scala van emoties al doorleefd, van op het gemak tot ongerust. Ergens in het midden was zelfvertrouwen een kortstondige metgezel.

Op het korte vlakke stukje wordt er flink doorgetrokken. De grotere renners in het peloton sleuren ons achter zich aan alsof na de volgende bocht de finish wacht. Dat verandert in één klap zodra we het bord passeren dat het begin van de klim aankondigt, en als ze één voor één terugvallen is het tijd om te gaan.

Een minuut later heb ik twintig seconden voorsprong en kan alleen Pedro Delgado me volgen. Het plan zou kunnen slagen; ik wil tien kilometer hard doortrekken en kijken wat er gebeurt. Op een normale col zou ik dan al vlak bij de top zijn, maar hier ben ik dan nog niet eens halverwege. Toch lijkt het me gek genoeg geen onredelijk plan.

Pedro hijgt en puft om me te kunnen volgen. Kennelijk heb ik het tempo er goed in zitten, ondanks de hitte en bijna twee weken Tour in mijn benen, want hij heeft het duidelijk moeilijk. Dan moet hij plotseling lossen en ben ik alleen. Wat nu?

We zitten hier al hoog, boven de tweeduizend meter, en de volgwagens en renners beneden in het dal zijn niet meer dan stipjes. Gelukkig zijn er nu bochten die de eentonigheid doorbreken en je het gevoel geven dat je snel hoger komt. De weg stijgt hier minder gelijkmatig dan voorheen, maar het is bijna een opluchting om uit het zadel te komen, en ik denk dat ik daarginds de top al zie. Waarschijnlijk niet de echte top, maar in elk geval geschikt om als richtpunt te dienen.

Met nog vier kilometer te gaan komen de oude Casernes de Restefond in zicht. Langzaam groeit het vertrouwen dat ik, als ik tenminste niet instort, als eerste boven zal zijn. Maar dan herinner ik me dat het zwaarste stuk volgens het routeboek nog moet komen. Ik kalmeer mezelf en schakel een tandje lager voor de steilste bochten. Dat is een goed idee, want zodra ik aan het laatste stuk begin – de Cime – beginnen de steilte, de hoogte en de in de laatste 23 kilometer opgehoopte vermoeidheid hun tol te eisen. Met rood aangelopen hoofd knok ik me naar de finish. Het doet pijn, maar mijn opzet is geslaagd. Bahamontes, en nu ik. Cool. Ik vind het mooi klinken. En het uitzicht is ook niet slecht.

Col de la Bonette: het kale landschap in de richting van Jausiers.

Col de la Bonette: een van de favoriete cols van Federico Bahamontes, die in de Tours van 1962 en 1964 als eerste over de top kwam.

Col de la Bonette: in de Tour de France van 2008 miste koploper John-Lee Augustyn in de afdaling een bocht en schoot over de rand.

Col de la Bonette: de rondweg om de Cime de la Bonette.

Col de la Bonette: een eenzame renner waagt zich aan de 24 kilometer lange klim.

Col de la Bonette: de weg voert door zwart schaliegesteente.

Col de la Bonette: poort naar Zuid-Frankrijk en de Côte d'Azur.

Col des Champs: de weg meandert gedurende het grootste deel van de klim door het bos.

Col de la Cayolle: een brug overspant een diep ravijn en een rivier in de diepte.

Col de Braus: de route vanaf L'Escarène bevat een serie keurig gerangschikte haarspeldbochten.

Col de Braus: op de top staat een monument voor René Vietto, een van de beste 'pure' klimmers die Frankrijk ooit heeft gekend.

Col de la Madone: voor beroepsrenners een favoriete trainingsomgeving, maar nooit opgenomen in de Tour de France.

Col de la Madone: een spectaculair uitzicht op de Middellandse Zee.

Mont Ventoux

1.912 m

Greg LeMond

De Mont Ventoux is een van die beklimmingen die een blijvende indruk op me hebben gemaakt; voor mij is fietsen op de Mont Ventoux in de zomer waar het wegwielrennen om draait.

Ik was negentien, en reed in mijn eerste jaar als prof de Dauphiné. De Ventoux was mijn eerste ervaring met een echt grote 'hors catégorie' beklimming, en toen we vanuit Malaucène omhoog reden had ik het zwaar. In de zomer-maanden had ik altijd last van allergieën, waardoor mijn ogen opzwollen en ik moeite had met ademhalen. Ik herinner me dat ik het benauwd had en werd overvallen door een gevoel van paniek.

Bernard Hinault had in die wedstrijd al vijf etappes gewonnen en ik stond derde in het algemeen klassement, maar die dag toonde hij zich een goede ploeggenoot en duwde me een paar keer toen ik het echt nodig had. Dat ik in het spoor van Hinault kon blijven gaf me de bevesti-ging dat ik misschien niet in topvorm was, maar in elk geval goed genoeg om met de besten mee te kunnen.

Drie jaar later reed ik opnieuw de Dauphiné. Ik droeg de gele trui, en in het algemeen klas-sement werd ik op korte afstand gevolgd door Pascal Simon van Peugeot. Het was droog en heet, dik boven de 30°C , precies zoals je je de Ventoux voorstelt, met hitte die weerkaatst tegen de kalkrotsen en een harde mistral die het stof doet opwaaien. Ik hield van de hitte – dan was ik op mijn best; ze deed me denken aan Californië, waar ik ben opgegroeid.

Die dag voelde ik me fantastisch, en ik viel Pascal Simon al meteen aan de voet aan, net buiten Bédoin voordat je in het bos komt. Simon kwam terug, en zo reden we samen verder, om de beurt aan kop. Maar toen, ongeveer halverwege, plaatste hij opeens een machtige demarrage. Hij fietste op het grote blad en reed op een steil stuk bij me weg. Ik probeerde hem te volgen, maar kreeg het gat niet gedicht en blies mezelf op. Het was de eerste keer dat ik mezelf op een beklim-ming zo opblies. Ik verloor die dag anderhalve minuut en de gele trui. Misschien had ik mezelf een beetje overschat, maar hij was zo ongelooflijk sterk.

Ik had de Ventoux graag in de Tour de France gereden, maar helaas is dat nooit gebeurd. Het grootste respect heb ik voor de beklimmingen waarop ik het meest heb afgezien, en de Ventoux hoort daar zeker bij.

Mont Ventoux: de reus van de Provence.

Mont Ventoux: de populairste route voor de beklimming, vanuit Bédoin.

Mont Ventoux: de Mont Ventoux wordt geregeld aangedaan door de Tour de France (hier een beeld uit 2013), Parijs-Nice en het Critérium du Dauphiné.

Mont Ventoux: als gevolg van rooiactiviteiten van scheepsbouwers uit Toulon is het landschap boven Chalet Reynard nu kaal.

Mont Ventoux: de kalkstenen puinhellingen bieden weinig bescherming tegen de mistral en de intense zomerhitte.

Mont Ventoux: de iconische telecommunicatiemast, gebouwd in de jaren zestig, markeert de finishlijn.

Mont Ventoux: de onweerswolken trekken samen.

Col du Tourmalet: het skistation La Mongie komt in zicht.

Pyreneeën

Port de Balès	1.755 m
Col de Peyresourde	1.569 m
Col d'Aubisque	**1.709 m**
Col du Soulor	1.474 m
Luz Ardiden	1.715 m
Col du Tourmalet	**2.115 m**

Met bijdragen van
Pedro Horrillo, Paul Sherwen, Sean Kelly, Geraint Thomas, Bernie Eisel en Philippa York

Port de Balès: renners bezig met de steile afdaling naar Bagnères-de-Luchon.

Port de Balès: hier verloor Andy Schleck in de Tour de France van 2010 zijn ketting, een incident dat in de media 'chaingate' werd genoemd.

Het ravijn
Pedro Horrillo

Niemand bereidt je erop voor, je kunt er met geen mogelijkheid klaar voor zijn. Maar als het komt, besef je dat je al je hele leven bezig bent je erop voor te bereiden. Niet lang geleden las ik het boek *New York Trilogy* van Paul Auster* weer eens: 'Ik ben daar niet doodgegaan maar het scheelde niet veel, en er is een moment geweest, misschien wel meer dan een, dat ik de dood beleefde, dat ik mezelf dood zag. Over zo'n confrontatie met jezelf kom je niet heen. Als het eenmaal gebeurd is blijft het gebeuren: de rest van je leven neem je het met je mee.' Het zijn woorden die de auteur spreekt namens de hoofdpersoon; het is fictie maar ik neem ze van hem over. Ik zou zelfs willen dat ze van mij waren, want ze lijken sterk op de mijne. De rest van je leven: het begin dat ontstond toen je in theorie het eind had bereikt. Niemand bereikt dat punt voorbereid, maar je moet op de een of andere manier reageren, je kunt niet passief blijven.

Het was de achtste etappe van de Giro d'Italia, 16 mei 2009, en ik voelde me er helemaal klaar voor. Tweehonderd en negen kilometer, te beginnen in Morbegno, met een klim van de eerste categorie in de beginfase van de etappe. Na de klim naar de Città Alta vanaf de Porta Garibaldi zou de finish plaatsvinden in het centrum van Bergamo. Ik kende het slot van de route nog van de Giro van 2007 en ik wist dat het lastig zou zijn. Niet meer en niet minder: na twaalf jaar als beroepsrenner zou het 'another day at the office' zijn, zoals ze het in het peloton zeggen. Ik had niet het geringste vermoeden van wat me die dag zou overkomen. Ik reed in die tijd voor het team van de Rabobank en het was mijn derde Giro d'Italia. Ik beschouwde mezelf niet als een expert, maar ik kende wel een paar geheimen van de Corsa Rosa. Ik had ook een zwak voor die ronde want het was de eerste Grand Tour waaraan ik in 1998 als neoprof had meegedaan.

Mijn teamgenoot Dennis Mentsjov had al een van de zeven etappes gewonnen die tot dan toe waren verreden. Dat weet ik, maar de werkelijkheid is dat ik me er vrijwel niets van kan herinneren, misschien afgezien van een kleine flashback waarin ik de lijn passeer en Dennis op de podiumwagen zie staan terwijl hij wordt gehuldigd als etappewinnaar. Ik stop naast een andere teamgenoot en we gebaren en roepen felicitaties. Maar zoals een goede koele Rus betaamt, breekt Dennis niet met het podiumprotocol om ons te omhelzen maar houdt zich koest en bedankt ons met een lachje. Ik weet niet eens of het echt zo is gebeurd of dat ik het me alleen verbeeld, beide alternatieven zijn even goed mogelijk.

Op weg naar Bergamo stond Dennis al vijfde in het algemeen klassement. Het was geen geheim dat hij een van de favorieten voor de eindoverwinning was en we stonden allemaal achter hem. Alle energie van ons team was erop geconcentreerd hem te helpen slagen en alles ging goed.

Ik voelde me klaar voor de etappe, ja, dat is een echte herinnering. In de bus naar de start van de etappe zat ik naast Mauricio [Ardila], mijn kamergenoot, en las een boek. Terwijl we een haarspeldbocht naar rechts afdaalden moest een auto – ik durf te zweren dat het een rode Fiat Panda was – plotseling remmen en omdat de bocht zo smal was achteruit manoeuvreren om onze bus te laten passeren. Een raar detail om te onthouden, absurd zelfs en volkomen onbelangrijk, maar ook uniek want ik geloof niet dat een van de anderen die erbij waren zich er nog iets van herinnert. Maar voor mij blijft het een belangrijke herinnering. Het heeft een symbolisch gewicht, want het is het laatste wat ik me echt herinner. Daarna is er niets. Of misschien veel, beide alternatieven zijn even goed mogelijk. Een onbeschrijflijk verblindend licht vergezeld van een gevoel van oneindige leegte en iets wits, spierwit. Een wit geverfd niets.

We zijn geneigd een slechte of rampzalige dag een donkere dag te noemen. Het soort duisternis waarin mijn familie, het team en mijn vrienden die dag gehuld werden, volkomen onwetend van het feit dat ik al die tijd in het wit zwom. En dat is niet een of andere beeldspraak, daarom schreef ik hierboven dat het iets is waarop niemand je kan voorbereiden. Een oogverblindend, stralend en zuiver wit, maar tegelijkertijd koud en raadselachtig. Een soort doof wit, zou je kunnen zeggen, als een kleur een geluid kan hebben.

Ik herinner me dat ik rondzwierf op een plek waar het wit niet eindigde in een horizon, dat ik vooruitging zonder dat ik enig referentiepunt had waaraan ik kon aflezen dat ik werkelijk vooruitging. Wit overal: boven, onder, opzij, 360 graden wit. Een kalm, rustgevend wit dat tegelijk troebel en claustrofobisch aanvoelde, alsof ik vastzat in een oneindige ruimte. Ik liep er doorheen, ik rende – 'Wat ben je aan het doen? Waarom ren je? Heb je niet in de gaten dat je rennend net zo snel vooruitkomt als wandelend?' – dus ik bewoog niet echt. 'Waar ben ik? Wat doe ik hier? Waarom ben ik hier? Wat moet ik doen om...?'

Ik weet niet hoe lang die witheid heeft geduurd al weet ik wel dat het een lange tijd was, precies het aantal dagen dat ik in coma lag (veel dagen, maar zelfs ik zou niet kunnen zeggen hoe lang precies). Dat kan een neveneffect zijn geweest van de morfine waarmee ik in coma werd gehouden of misschien was het, zoals anderen beweren, een mystieke herinnering aan een ervaring van buiten-het-lichaam-treden. Ik weet het nu nog niet en ik zal het nooit zeker weten en in feite vergeet ik het maar liever. Wat ik wel weet is dat de overgang van het wit terug naar een wereld met kleur geleidelijk verliep. Als ik mijn ogen opende, bewoog ik me van die ijzige, kalme tint naar een warmer maar ook verblindend licht. Als een Eskimo kon ik duizenden verschillende tinten wit onderscheiden. De kleur kwam terug toen ik weg kon kijken van de fluorescerende verlichting aan het plafond van de intensive care in het ziekenhuis van Bergamo. Zoals ik daar lag, onbeweeglijk, moest ik er wel direct naar kijken want mijn oogspieren gehoorzaamden niet aan mijn opdrachten. Ik deed mijn ogen dicht in de veronderstelling dat het zoiets als de zon was, die geeft ons licht maar we kunnen er niet recht in kijken. Aan de andere kant, dacht ik: als je verblind wordt door de zon, krijg je donkere vlekken voor ogen en zulke vlekken kon ik nergens ontdekken.

Met de kleur kwam de doodsangst en de wil om te ontsnappen. Ik wist niet wie ik was, of waar, of wat er aan de hand was. Het enige wat ik wist was dat ik daar weg moest, zonder te weten waarheen of waarom. Mijn enige doel was ontsnappen, maar niet één deel van mijn lichaam reageerde op de opdrachten die ik gaf.

Dagen voor die tijd was dokter Alberti naar een ravijn aan de kant van de Culmine di San Pietro geroepen om hulp te verlenen aan een slachtoffer van een ongeluk. Hij heeft me later verteld dat hij wel eerder in dramatische situaties had moeten ingrijpen, maar nog nooit had hoeven werken in zulke primitieve en hachelijke omstandigheden als hij die dag aantrof. Hij zat met touwen vast om te voorkomen dat hij van de berghelling zou vallen en sprak een ernstig gewonde maar wel aanspreekbare patiënt die hem vroeg hem te helpen om terug op de weg te komen. Een wielrenner die geheel en al opging in zijn rol en alleen wilde opstaan om verder te fietsen. 'Een idioot die niet in de gaten had dat wat er op het spel stond niet een of andere wielerwedstrijd was maar zijn eigen leven en die tegen me praatte zonder te beseffen dat het zijn laatste woorden zouden kunnen zijn.' Die patiënt, bij bewustzijn maar onbewust, was ik. De Italiaanse dokter die mijn leven heeft gered en die ik tot dan toe niet kende is nu een van mijn beste vrienden.

Dit gebeurde allemaal bijna tien jaar geleden en ik realiseer me nu dat ik nog steeds niet heb verteld hoe het is gebeurd. Eigenlijk heel simpel: ik ben tijdens de etappe in een ravijn gevallen. Daar, in die bocht naar links waar mijn professionele carrière eindigde, is alles begonnen. Ik moet me op die bocht verkeken hebben en misschien ging ik er te snel in. Wat maakt het nu nog uit? Het resultaat was dat ik op de vangrail aan de kant van de weg inreed en de wijde ruimte in werd gekatapulteerd. Na een val van een meter of tien, twaalf raakte ik de eerste rotsen; mijn botten braken terwijl ik verder de diepte in viel, wat ernstige inwendige verwondingen veroorzaakte. Elke rots die ik onderweg raakte, voegde nieuwe breuken aan mijn medische status toe. Een paar seconden en nog eens tachtig hoogtemeters verder werd mijn val vertraagd door de begroeiing en bleef mijn lichaam liggen op een richel. Dokter Alberti beschreef het als 'een wonder van de natuur, een vlak rotsplateau halverwege de berghelling, twee meter lang en iets meer dan een meter breed. Direct daaronder was een steile wand van meer dan twintig meter, hoog genoeg om een eind aan je leven te maken als je nog één keer verder was gerold.'

In de 45 minuten die ik daar op hulp heb liggen wachten heb ik meer dan tijd genoeg gehad om in die afgrond omlaag te kijken. Ik weet niet goed wat ik toen heb gedaan, ik weet niet wat ik voelde of dacht. Ik weet alleen dat ik er wel graag achter zou willen komen.

Het is merkwaardig maar ook ironisch dat ik geen enkele herinnering heb aan het meest intense moment van mijn hele leven; een of ander verdedigingsmechanisme in het brein heeft besloten die herinnering uit te wissen. En als er nog een herinnering van bestaat kan ik de weg ernaartoe niet vinden. De artsen hebben me uitgelegd dat dat in feite een kwestie van hormonen is: ik was niet zozeer echt bij bewustzijn, de adrenaline heeft me wakker gehouden tot ik me weer veilig voelde.

Ik denk dat ik geluk heb gehad en ik weet zeker dat ik op dat moment de grootste meevaller van mijn hele leven heb beleefd. Er heeft zo'n samenloop van omstandigheden plaatsgevonden dat ik hier nu ben, dit schrijf, en van het leven geniet. Ik vergelijk dat moment van geluk graag met het begin van een poolwedstrijd: de speler stoot zijn speelbal met alle kracht in de richting van de andere ballen, die met het frame in formatie zijn klaargelegd. De meeste ballen schieten alle kanten op, behalve die ene, die recht in een pocket verdwijnt. Dezelfde biljarter zou die break tien, honderd of zelfs duizendmaal kunnen herhalen maar hij zou ze nooit allemaal dezelfde kant op kunnen sturen als die eerste keer. Hij bereikt misschien ongeveer hetzelfde resultaat maar er zal altijd een zeker verschil blijven, al is het maar een verschil in millimeters, identiek wordt het nooit. Dat is wat er in mijn geval is gebeurd; als er ooit een moment in mijn leven is geweest waarop de sterren precies goed voor mij stonden, was het toen. Dankzij dat geluk ben ik nog in leven.

In het Baskenland, waar ik woon, en in de bergen waar ik een groot deel van mijn tijd doorbreng, is er iets wat mij fascineert: de waterscheiding. Ik woon tegenover steile kalkstenen bergen, mijn bergen, en de pieken waarover ik loop gaan aan beide kanten langs diepe afgronden. Die pieken liggen niet eens zo hoog, iets meer dan duizend meter, maar ze voelen aan als hoge bergen. Als het regent verzamelen de druppels die aan de noordkant vallen zich tot stroompjes die rivieren gaan vormen en uitstromen in de Golf van Biskaje, een deel van de Atlantische Oceaan. Die enorme oceaan die ons verbindt met het Amerikaans continent lijkt zo dichtbij als je er van boven naar kijkt. Maar de

druppels die aan de zuidkant vallen, niet meer dan een paar centimeter verderop, gaan op reis naar het dal van de Ebro en stromen uiteindelijk uit in de Middellandse Zee, zevenhonderd kilometer naar het oosten. De Middellandse Zee, dat binnenwater dat Europa aan de zuidkant afsluit en verbindt met Azië en Afrika. Het is wonderlijk te bedenken hoe die ene kleine bergrug verbonden is met de halve wereld. En vanuit diezelfde voorstelling moet ik denken aan mezelf en mijn ravijn aan de kant van de Culmine di San Pietro. Waar ik na mijn val bleef liggen was naast een beekje. Het water daarvan stroomt omlaag naar het dal van Brembana, waar het bronwater van San Pellegrino wordt gebotteld. Water dat na dertig jaar natuurlijke filtering uit de bron opwelt. Dat betekent dat over een jaar of twintig iemand water zal drinken uit een fles die iets van mij bevat, want ik weet dat er iets van mij is achtergebleven in dat ravijn en ik hoop dat iets daarvan weer door de filtering geglipt zal zijn. Stom, absurd, maar ook waar.

Hoewel ik het wedstrijdrijden achter me heb gelaten heb ik al die jaren vastgehouden aan mijn banden met de wielersport. Het is mijn wereld en die kan en wil ik niet loslaten. Ik heb twee Tours de France weten te verslaan als journalist, ook al voelde het vreemd te schrijven over mijn voormalige collega's. Dat gevoel vloeide niet voort uit een gebrek aan betrokkenheid, integendeel. Het probleem was dat het niet passend aanvoelde voor me om het over anderen te hebben en ervaringen te beschrijven waarvan ik niet genoeg wist. Ik bezag de wedstrijd als een waarnemer en ik kon zelfs profiteren van de mogelijkheid die ik had om eropuit te gaan en de wedstrijdroute op mijn eigen fiets te rijden. Maar dat was niet genoeg. Ik wist dat ik het nooit hetzelfde kon ervaren als de deelnemers. Gewoonlijk leidde dat alles ertoe dat ik geen wedstrijdverslagen schreef maar in plaats daarvan aspecten van het evenement belichtte die buiten het bereik van de grote camera's bleven. Het was een prachtige en verrijkende ervaring maar ik wist me nooit los te maken van het gevoel dat ik een indringer in de perskamer was, dat gevoel van niet op mijn plaats zijn. Mijn wereld lag, en ligt nog steeds, aan de andere kant van de vangrail, ook al zal ik er nooit meer in kunnen terugkomen.

Nu ik dit schrijf ben ik nog altijd betrokken bij de sport, zij het op een andere manier: ik ontwerp het parcours van de Itzulia, de Tour van het Baskenland. Ik zoek wegen, bestudeer beklimmingen en afdalingen, ik bedenk verschillende routes en

stel me de setting voor waarin alle actie zich zal afspelen. Ik rij elke kilometer van elke etappe op mijn eigen fiets, overweeg wat er op elk moment van de race kan gebeuren en probeer me in te denken wat er in de rijders zal omgaan als ze een bepaalde plek passeren. En als de grote dag komt kan ik soms genieten als ik zie dat de wedstrijd zich precies zo afspeelt als ik het had voorzien. Op andere momenten laat ik mezelf verrassen als wat er feitelijk gebeurt totaal anders is dan ik het me had voorgesteld. Ik heb ook nog een paar keer in de Tour meegereden als vip-chauffeur, als gastheer, gids en ingewijde die anekdotes uit zijn loopbaan deelde met gasten uit het bedrijfsleven. Het is dezelfde wereld, maar dan met nieuwe ervaringen.

Beroepswielrenner worden is niet eenvoudig. Maar wat velen niet weten is dat het ook niet eenvoudig is ermee te stoppen. Je leeft jarenlang in een hyperbeschermende bubbel, waarin eropuit gaan en trainen je grootste zorg is. Je staat op en loopt direct naar het raam om te zien wat voor weer het is – ik ben zo geprogrammeerd dat ik die routine nog elke ochtend herhaal – dan ga je ontbijten en kilometers maken. Op een dag komt er een eind aan dat leven en de invloed die dat op je werkelijke leven heeft is vaak traumatisch. Normaal gesproken bereid je je daar geleidelijk op voor maar in mijn geval was er geen normale gang van zaken.

'Wen maar aan het idee dat je nooit meer wedstrijden zult rijden,' zeiden de artsen in het ziekenhuis tegen me. Daar zat ik niet zo mee op het moment dat ik er alleen maar van kon dromen om weer te kunnen lopen. Als renner had ik aspiraties voor de toekomst. Die kon ik in het ziekenhuis gemakkelijk loslaten, toen ik me maar nauwelijks kon bewegen en mijn botten nog aan elkaar aan het groeien waren; mijn enige ambitie op dat moment was weer een normaal mens te worden. Ik heb zoveel tijd en energie in de opgave geïnvesteerd dat ik daar nog altijd van aan het herstellen ben.

Dat is een achterstand die je niet zo gemakkelijk inloopt. Het trauma lijkt misschien achter de rug maar het is er nog steeds, een beetje als een kraan die blijft druppelen. Het is moeilijk uit te leggen, als een onzichtbare schaduw die altijd over je hangt, met de aantrekkingskracht van een zwart gat. Als je zo dicht bij de kloof bent geweest, kan de kleinste alledaagse belevenis je eraan herinneren. Als je ooit *Maus* hebt gelezen, de striproman van Art Spiegelman over de Holocaust, zul je begrijpen waarom ik me identificeer met Vladek, de vader van de schrijver.

Daar komt bij dat je, als je een tweede kans krijgt, andere waarden gaat kiezen. Dat stukje van jezelf dat in dat ravijn is achtergebleven is iets wat je niet terug wilt zien, het is geen deel meer van je. Familie, vrienden, materiële dingen, tijd... alles heeft nu een andere waarde. Je raakt gepolariseerd, wat betekent dat je jezelf ook isoleert. Wat je vroeger graag deed doe je nu liever en wat je niet interesseerde, interesseert je nu nog een stuk minder. Goede dingen zijn nu beter en wat slecht was is nu nog slechter. Je belandt in de paradox van 'less is more'. Je voelt je vaak sterker en tegen alles opgewassen, tegelijkertijd voel je je steeds kwetsbaarder en de balans daartussen is zo wankel dat die op elk moment verstoord kan worden. Jij en je leven bewegen zich met verschillende snelheden voort en dat is lastig te aanvaarden. In het begin heb je het idee dat het wel zal overgaan, maar nee, met het verloop van tijd begin je te begrijpen dat dit wonderlijke gevoel altijd bij je zal blijven. Consumentisme, de maatschappij, sociale netwerken, het zijn allemaal treinen die je veel te snel passeren. Als je erin probeert te stappen en denkt dat het je is gelukt, ga je beseffen dat je het niet kunt volhouden. Vaak is dat al direct, soms is er geduld, en tijd, voor nodig.

Tijd is het sleutelwoord. De tijd die je nu hebt en die je heel anders waardeert. Je waardeert die nu zo sterk dat het moeilijk is er iets van te verkopen, al weet je wel dat je iets moet verdienen om van te leven. In een boek dat ik heb gelezen – door Ryszard Kapuscinsky, geloof ik – las ik ooit een opmerking over het concept van tijd van een Afrikaan: 'Een Afrikaan die onder een boom zit, verspilt geen tijd, hij maakt tijd.' Dat probeer ik te zeggen, dat je niet het gevoel hebt dat tijd een objectief gegeven is, iets externs, of iets dat als zelfstandig element bestaat. Nee, de tijd is van jou, subjectief, flexibel en veranderbaar door je eigen handelen. Daar was ik niet op voorbereid, en ik ben het nu nog niet. Maar het is een ervaring die me heeft leren begrijpen dat, hoewel je je hele leven bezig bent jezelf erop voor te bereiden, als het moment van de waarheid aanbreekt de onvoorziene mogelijkheden eindeloos zijn en dat je, wat er ook gebeurt, moet improviseren. Het is geweldig en het maakt dat je nog meer voelt dat je leeft.

* Citaat uit *De New York-trilogie* van Paul Auster: vertaling Bartho Kriek, De Arbeiderspers, 2005, p. 382.

Col de Peyresourde: de lagere hellingen bij het eerste daglicht.

Col de Peyresourde: de beklimming is al meer dan vijftig keer in de Tour de France opgenomen.

Pyreneeën

Col d'Aubisque

1.709 m

Paul Sherwen

In de Tour de France van 1985 reden we op één dag twee keer over de Aubisque. Er was een korte ochtendetappe van 52,5 kilometer en een middagetappe van 83,5 kilometer, met daartussen een lunch. Dat zouden ze nu nooit meer doen. Ik had de Aubisque al eens gereden; in een eerdere Tour had ik moeten lossen op de klim vanuit Pau. Op de lange bergkam van de top naar de Col du Soulor probeerde ik tijd goed te maken. Het was mistig, het regende en de weg was nat. Ik nam veel risico's, en er zijn daar geen vangrails.

Je doet soms gekke dingen op een fiets, dingen die je op geen enkele manier ooit hebt kunnen oefenen. Ik ging door een bocht en wist dàt ik hem niet zou halen, dus liet ik me vallen. Ik kwakte mijn fiets tegen het asfalt. Met mijn voeten nog in de toeclips, vastgeklonken aan mijn fiets, gleed ik op mijn kont richting ravijn. Dat ik geen vrije val van 300 meter maakte had ik puur te danken aan het betonnen muurtje waar ik tegenaan knalde.

In 1985 wisten we allemaal dat die dag alles om Stephen Roche draaide. Raphael Géminiani [ploegleider van La Redoute] had het hele jaar door al op hem ingepraat dat hij die ochtendetappe met finish op de Aubisque moest zien te winnen. Het plan was dat hij meteen vanaf de start zou aanvallen en de etappe als een tijdrit zou beschouwen. Stephen droeg zelfs een skinsuit, wat hier en daar wenkbrauwen had doen fronsen.

Géminiani was van de oude school – hij was vertrouweling en coach van Anquetil geweest – en hij speelde psychologische spelletjes met Roche. Speciaal voor hem marineerde hij regelmatig verse vis, en die Tour kreeg Stephen elke dag een speciaal visgerecht, terwijl de rest van de ploeg het met bonen en spaghetti moest doen.

Hoewel we ploegmaten waren, was het bijstaan van Stephen niet mijn grootste zorg. Ik stond 8 of 9 minuten achter in het algemeen klassement en het was niet ver meer naar Parijs. Ik moest binnen de tijdslimiet blijven, dus de beklimming van de Aubisque was voor mij puur een kwestie van overleven. In deze etappe was het ieder voor zich, en hij wist dat hij van mij geen hulp mocht verwachten.

Col d'Aubisque: een van de twee tunnels door het Cirque du Litor.

Col d'Aubisque: het wordt avond en de top hult zich in lage bewolking.

Col d'Aubisque: het café en de souvenirwinkel op de top.

Col d'Aubisque: het gedeelte waar de beklimming aansluit op de Col du Soulor.

Col d'Aubisque: hier werd Wim van Est met behulp van veertig aan elkaar geknoopte banden gered nadat hij in de Tour van 1951 in de gele trui uit de bocht schoot en in het ravijn terechtkwam.

*Col d'Aubisque: met de Col du Tourmalet, de Col de Peyresourde en de Col d'Aspin maakt
deze berg deel uit van een Pyreneeënrit die ook wel 'le cercle de la mort' wordt genoemd.*

Col d'Aubisque: de Cirque du Litor ('Litor' betekent lawine in het Gascons dialect).

Een dag in het geel
Sean Kelly

Het zijn je genen die bepalen of je een goede klimmer kunt worden, en dat is iets waaraan je simpelweg niets kunt veranderen; de grootste natuurtalenten bergop zijn klein en licht, de beste wegen vaak nog geen 60 kilo.

Hoewel iedereen zijn klimcapaciteiten kan verbeteren door te trainen, zal je nooit een groot klimmer worden als je niet gezegend bent met de juiste fysieke eigenschappen. Robert Millar was het perfecte voorbeeld van een kleine renner die het klimmen geen moeite leek te kosten. Ook Roche was een goede klimmer, maar hij was geen natuurtalent. Voor Stephen was het vooral zaak de schade in de bergen te beperken. Puur op karakter wist hij altijd een heel eind te komen, maar in de laatste kilometers moest hij vaak terrein prijsgeven, en dat is het verschil.

Als je veel grote rondes hebt gereden gaan je herinneringen aan de bergetappes door elkaar lopen. Ik heb de Alpe d'Huez zes keer gereden, maar kan die beklimmingen niet meer van elkaar onderscheiden. In feite was er ook geen verschil, het was altijd verschrikkelijk afzien. Daarbij komt dat het eigenlijk helemaal geen spectaculaire klim is als je hem op een normale dag rijdt, buiten de Tour. Het landschap en de uitzichten zijn niet bijzonder en er is weinig waarin de klim zich positief onderscheidt.

In de jaren tachtig vormde de Alpe d'Huez altijd het sluitstuk van een lange etappe. Het kon goed zijn dat je al tweehonderd kilometer had afgelegd en dan nog de Alpe op moest. Als je 72 kilo weegt is die berg een marteling, en vaak genoeg kwam ik meer dood dan levend op de top. Tegenwoordig zijn de bergetappes veel korter en zijn de renners frisser als ze eraan beginnen.

In 1989 reed ik voor PDM. Ik kan het me nog heel goed herinneren omdat het een van die dagen was waarop de bergen de dynamiek van onze ploeg overhoop gooiden. We zaten met z'n vieren, onder wie Uwe Ampler, in een groep van vijftien tot twintig renners. Als je Bourg-d'Oisans nadert is er een korte helling van een kilometer of drie, net voorbij het stuwmeer en vlak voor het laatste stuk afdaling naar het dorp. Na die klim wil iedereen naar voren, en dan kan het er heel chaotisch en nerveus aan toe gaan. Daarom liet ik me nog in de klim terugzakken naar de ploegleiderswagen om vers water te halen en de bidons nog bij lagere snelheid te kunnen uitdelen. Meteen op de top van de klim sprongen er vooraan een paar renners weg. Greg LeMond, Thierry Bourguignon en een paar anderen namen een voorsprong. Onze man voor het algemeen klassement was Erik Breukink. Hij maakte nog kans om het podium te halen of zelfs de Tour te winnen, dus het was duidelijk dat ik hem naar de kopgroep moest brengen, maar dat kon ik niet in mijn eentje. Daarvoor moest ook Ampler aan de bak, maar die weigerde. Ampler, een jonge, nog relatief onervaren vierdejaars prof, zei simpelweg dat hij niet wilde rijden. 'Hij moet meedoen,' zei ik tegen Jan Gisbers, de ploegleider in de auto. 'We moeten het gat dichtrijden of zo klein mogelijk maken om in een goede positie aan de Alpe te beginnen.' De renners in de kopgroep wisten dat dit een mooie kans was om zich te ontdoen van een aantal kanshebbers voor het algemeen klassement, en dus reden ze op volle kracht.

Ik zat bij PDM in de laatste fase van mijn wielercarrière, maar Ampler had minder ervaring als prof. Hij had gereden voor zijn land, Oost-Duitsland, was eraan gewend kopman te zijn en wenste zich niet te schikken in de rol van knecht. Ik zette Breukink af aan de voet van de Alpe. Toen hij aan de klim begon, moest ik al gauw lossen, maar ik kwam in mijn ritme en haalde Ampler een kilometer voor de finish in.

Als je in de kopgroep rijdt, maak je samen met de andere renners de koers en dat houdt je gaande. Maar als je afziet en onderaan een beklimming moet lossen, is dat een ander soort pijn. Je kunt dan mentaal echt breken en moeite krijgen je te blijven focussen. Sommige renners kunnen prima omgaan met die mentale stress; ze lossen uit de kopgroep maar raken er niet door van hun stuk. Ze komen in een ritme en weten vaak weer aan te sluiten. Maar er zijn er ook genoeg die dat niet kunnen. Ik heb het meer dan eens zwaar gehad, maar ben nooit van mijn fiets gestapt. Je moet je op de koers blijven concentreren en je niet door je emoties laten meeslepen. Toen de ploeg van Café de Colombia in de Tour kwam, was het duidelijk dat we met uitzonderlijke klimmers te maken hadden. Ze waren duidelijk beter dan Hinault en de andere grote favorieten. Nadat zij erbij kwamen werd er steeds vroeger in de koers aangevallen. We waren het gewend dat renners wachtten met aanvallen tot de laatste klim van de dag, maar de Colombianen sprongen altijd al veel vroeger weg, wat de koers harder en sneller maakte. Maar hun vaardigheden als dalers waren heel wat minder goed ontwikkeld, en je had altijd kans dat je ze aan de andere kant van de berg uit een ravijn moest trekken.

Ik dacht altijd dat ik in de Tour het podium moest kunnen halen, maar dat is nooit gebeurd. Ik denk dat dat kwam doordat ik in het begin van het seizoen te veel wedstrijden reed. De Ronde van Spanje was toen nog in april, en halverwege de jaren tachtig reed ik voor KAS, een Spaanse ploeg die dus vooral op die ronde gericht was. Daarnaast reed ik ook de klassiekers, dus als de Tour begon had ik er al flink wat wedstrijden op zitten. LeMond reed meestal de Giro als hij nog niet in vorm was, met als doel sterker te worden naarmate de Tour naderde. Hetzelfde gold voor Armstrong en Indurain. Terwijl zij vooral in Frankrijk fit aan de start wilden verschijnen, had ik vaak andere prioriteiten.

Dat neemt niet weg dat ik ooit de gele trui heb gedragen, in de negende etappe van de ronde van 1983. Ik had de massasprint in Pau gewonnen, en dat leverde me in het algemeen klassement een voorsprong van één seconde op. Maar de volgende dag was het verschrikkelijk heet en zwaar. Ik zat meteen al in de problemen. Het was onmenselijk. De eerste beklimming was de Col d'Aubisque, en al in de eerste kilometer moest ik lossen. Ik raakte oververhit en voelde me niet goed. Daar kwam nog bij dat ik voortdurend werd omringd door fotografen op motoren die mijn worsteling in het geel in beeld wilden vastleggen, en de uitlaatgassen van de motoren maakten het nog moeilijker om adem te halen.

Er gebeurde zoveel in mijn hoofd. Ik dacht: 'Shit, hoe ga ik dit aanpakken? Hoe ga ik me hier uit redden?' Als je je zo voelt moet je zorgen dat je niet in het rood terechtkomt, want dan ontplof je. Als je moet lossen moet je toch gefocust blijven. Mijn ploegmaten probeerden me op te beuren en zeiden dat het later vast weer beter zou gaan, maar tegen die tijd zou ik al veel tijd hebben verloren. Vanaf een van de motoren klonk een radiostem die zei: 'maillot jaune lâché' ('gele trui gelost'), 'perdre contact' ('aansluiting verloren'). Je wordt paranoïde en denkt dat iedereen dat kan horen. Van de tweede klim van die dag, de Tourmalet, kan ik me nauwelijks iets herinneren. Ik was meestal vrij goed in de afdaling, maar als je zo afziet als ik die dag probeer je niet eens meer snel te dalen. Ik finishte in Bagnères-de-Luchon op tien minuten achter de winnaar, Robert Millar, maar troostte me met de gedachte dat ik ten minste één dag in de gele trui had gereden. Na afloop van de etappe vouwde ik de gele trui op en liet de spelden erin zitten als herinnering aan de inspanningen van die dag. Nadat de laatste etappe in Parijs was gefinisht, ging ik terug naar het hotel en stopte de gele trui in mijn koffer, die ik vervolgens in mijn auto zette. Mijn auto stond geparkeerd op een paar meter van de ingang van het hotel, dus liep ik nog even naar binnen om afscheid te nemen van een paar ploeggenoten. Toen ik een half uur later weer naar buiten kwam, was de auto opengebroken. Ze hadden mijn koffer meegenomen met daarin de gele trui en mijn groene sprintertrui. Ik belde de politie, die de koffer een paar straten verderop terugvond. Er zat nog van alles in, maar niet de gele trui. De organisatie van de Tour de France stuurde me een vervangend exemplaar, dat ik thuis heb ingelijst en nu naast de truien hangt van Milaan-San Remo, Parijs-Roubaix en de andere grote klassiekers die ik heb gewonnen, maar het blijft jammer dat het niet het exemplaar is dat ik die dag droeg.

Col du Soulor: uitzicht vanaf de Col d'Aubisque.

Luz Ardiden, waar Lance Armstrong in de Tour van 2003 ten val kwam – en Iban Mayo over hem heen viel – nadat een tasje van een toeschouwer achter zijn stuur was blijven haken.

Luz Ardiden: de weg eindigt bij een skistation.

Pyreneeën
Col du Tourmalet
2.115 m

Geraint Thomas

De eerste keer dat ik tijdens een bergetappe in de Tour deel uitmaakte van de kopgroep, was op de Tourmalet in 2011. Als je in de kopgroep zit, zijn de toeschouwers enthousiaster en luidruchtiger dan als je achterin zit. Ik herinner me dat ik mijn eigen tempo reed en me goed en sterk voelde. Plotseling zat ik alleen en was ik even de koploper.

Met nog een paar kilometer te gaan zag ik Jérémy Roy, een Franse renner, terugkomen en ik wachtte op hem. Eenmaal boven trok Roy een sprint naar de streep die daar getrokken was. Ik weet nog dat ik dacht: 'O, oké, maakt niet uit, geen idee waarom hij zich zo inspant.' Totdat het tot me doordrong dat er een bonus van € 5.000 klaarlag voor degene die als eerste over de top kwam. Het was het hoogste punt in de Tour van dat jaar, en een beetje frustrerend was het wel.

Sindsdien heb ik de Tourmalet vaker gereden, en het is altijd een belevenis. Het is een vreemde ervaring om je in dit soort bergetappes een weg door de menigte te banen. Vroeger keek ik op televisie naar de Tour en zag ik renners als (Jan) Ullrich door al die herrie heen rijden. Als er zoveel toeschouwers zijn, raken je zintuigen overprikkeld met geluiden en kleuren. Je hoort niets meer en je ziet nauwelijks nog de weg voor je voorwiel, maar ik vind het schitterend. En als je dan over de top rijdt en de menigte achter je laat suizen je oren, en dan is er opeens die stilte. Je hoort alleen nog het geluid van de banden op de weg en je eigen ademhaling.

Bernie Eisel

Cav (Mark Cavendish), (Mark) Renshaw en ik hebben het in de bergen zwaar te verduren gehad. De hoogste klim voor ons was de Tourmalet, die Cav veel problemen bezorgde. Deze col is net geen twintig kilometer lang en 'hors catégorie'. Ook de beste klimmers vinden hem lastig. Het was mijn taak om Cav door dit soort etappes heen te helpen.

Lange beklimmingen zijn lastig voor sprinters, zowel fysiek als mentaal. In de bergen voelen ze zich niet op hun gemak en komen hun zwaktes aan het licht. Ik herinner me nog die keer dat Cav het echt moeilijk had en we ruzie kregen over het tempo dat we aanhielden. Hij vond dat ik te snel ging, terwijl ik in werkelijkheid hetzelfde tempo was blijven rijden als voorheen. Als je klimt kunnen je emoties soms de overhand krijgen en dan raak je al snel in gevecht met jezelf. Die keer op de Tourmalet reden we in stilte aan weerszijden van de weg: Cav aan de linkerkant en ik rechts, het hele eind tot de top.

We kwamen op tijd binnen en hebben er na afloop nog hartelijk om gelachen. Dit zijn de dagen die je dichter bij elkaar brengen en een hechte band smeden.

Col du Tourmalet: de klim gezien vanaf de Pic du Midi.

Col du Tourmalet: de menigte toeschouwers langs de route van de Tour de France van 2015.

Col du Tourmalet: een zee van bolletjestruien, gratis weggegeven door de reclamekaravaan van de Tour.

Net als thuis
Philippa York

In de verte stijgen rookslierten op, een subtiele hint naar wat de argelozen onder ons te wachten staat. Kort daarna bevestigen een paar gereflecteerde zonnestralen dat het inderdaad de helling van vandaag is die ons signalen toezendt, ook al blijken ze afkomstig te zijn van rokende barbecues.

Als we de beklimming naderen, zie ik mensen en hun bezittingen als silhouetten tegen de spectaculaire achtergrond, als een scène uit een western. In deze specifieke film zijn zij de bandieten en wij de karavaan die op het punt staat overvallen te worden. Bij het ontbijt van vanochtend stond ook spaghetti op tafel, maar nu ben ik blij dat ik de pasta heb laten staan. Als er geschoten gaat worden, al is het maar in overdrachtelijke zin, wil ik graag geloven dat ik al het mogelijke heb gedaan om het geluk aan mijn zijde te hebben.

Een deel van het volk dat ons staat op te wachten, lijkt daadwerkelijk afkomstig uit Mexico of zou voor echte Amerikaanse indianen kunnen doorgaan, maar als dat zo is, gaan ze verloren tussen de veel vertrouwdere noordelijke stammen die alle beschikbare hoekjes en gaatjes langs de weg hebben ingenomen. In dit berglandschap slaat 'noordelijk' op Europa en niet op Amerika, al is, te oordelen naar het formaat van de voertuigen die hier geparkeerd staan, hét motto van de nieuwe wereld, 'groter is beter', hier

opmerkelijk goed aangeslagen. Misschien ook geen wonder: de verplichte vlaggen, spandoeken, vouwstoelen en satellietschotels laten zich per paard nu eenmaal niet zo gemakkelijk meenemen. En zelfs als dat wel zou kunnen, zou één laaghangende televisiehelikopter genoeg zijn om je ros op hol te doen slaan, de ondergaande zon tegemoet, met rinkelende potten en pannen en al. Je kunt maar het best een voertuig met het formaat van een huis meenemen, dan weet je zeker dat je alles bij je hebt.

De Belgen en Nederlanders die de camperscene in wielerkoersen lijken te domineren, houden van de gemakken van thuis zoals ze ervan houden hun helden bergop te zien fietsen.

Het is een van de minder bekende bijzonderheden van de lage landen: een heuvel van welk formaat dan ook heeft ten minste twee wegen naar de top en meestal nog meer als er genoeg plaats is. Als die wegen klaar zijn, bouwen ze leuke cafés en restaurants rond de top en ze organiseren wielerkoersen die er in alle mogelijke richtingen passeren. Eten, drinken en lol hebben, met als toetje een wielerpeloton in actie, en dat allemaal in een omgeving met airconditioning.

Het is in die contreien een populair tijdverdrijf. Het is dan ook niet zo vreemd dat ze in de vakantie heel Italië, Frankrijk en Spanje doorreizen, steeds op zoek naar hetzelfde vermaak in dezelfde stijl. Zo ook vandaag. De zon schijnt,

het bier is lekker koud en de vlaggen wapperen traag in de wind. Het camperleven is goed, en de moderne bandieten zijn gelukkig.

Terwijl ik door de mensenmassa omhoog fiets, hoor ik naast Vlaamse ook Italiaanse, Franse en Engelse stemmen. Gelukkig is de snelheid nog niet al te onbarmhartig en heb ik tijd om de beelden en geluiden van de verzamelde menigten in me op te nemen. Dik, dun, groot, klein, jong en niet meer zo heel jong: de gemotoriseerde reiziger kent vele vormen en maten. Maar ik zie geen pijlen of bogen, alleen rode gezichten en rode neuzen; gewoon te veel zon gehad en, te zien aan hun rare capriolen, te veel alcohol. Over een paar uur zijn ze maar wat blij met hun uitklapbare bed, zoveel is zeker.

Dichterbij de top van de klim verandert de sfeer, en dat komt niet alleen door de hoogte. Er is meer orde, auto's en campers staan netter geparkeerd, de spandoeken zijn niet langer zelfgemaakt en het enthousiasme gaat gepaard met een zeker decorum. Dit zijn de serieuze fans, degenen die hier al dagenlang, misschien een week, geparkeerd staan om zeker te zijn van hun plek – precies dezelfde als vorig jaar en het jaar daarvoor. Het laatste stuk voor de top is gereserveerd voor de kenners. De vlaggen waarmee deze jongens zwaaien zijn er niet alleen voor de sier: het zijn statements. Ze gooien niks op straat, laten geen rommel achter en – belangrijker – ze

herinneren zich nog precies wanneer je hun favoriete café passeerde in een of andere kleine wedstrijd die je zelf allang bent vergeten.

Terwijl we de top naderen, herken ik in de menigte iemand van een paar dagen terug. Hij stond bij de start en vroeg me om een handtekening. Niet op een stukje papier, maar op een heuse foto, waar ik op stond met zoveel kleren aan dat ik wel een michelinmannetje leek. 'Luik, in de sneeuw' zei hij. 'Onze camper was in het ijs blijven steken en we hadden de finish gemist.'

'Dan had u nog geluk,' had ik geantwoord. 'Bij mij zijn mijn tenen er toen bijna afgevroren.' Ik denk niet dat zijn Engels goed genoeg was om me te begrijpen, maar hij had geglimlacht en me succes gewenst. Nu zie ik hoe hij een blikje cola aanbiedt, en net voordat ik het uit zijn handen gris gooi ik op mijn beurt een van mijn bidons in zijn richting. Een eerlijke ruil. Iedereen blij.

Een paar uur later, als we naar ons hotel proberen te rijden, zie ik hem opnieuw, in een grote glanzende camper met Belgisch kenteken. Hij zit vast in de gebruikelijke opstopping na de wedstrijd, maar zit niet achter het stuur, wat een goed idee is aangezien hij een biertje in zijn hand heeft en zijn voeten op het dashboard heeft liggen. Aan de binnenkant tegen de voorruit ligt een hele verzameling bidons van verschillende teams.

Hij draait het raampje open en zwaait met zijn bier. 'Koud!' roept hij. 'Net als thuis.'

Col du Tourmalet: een drukbezochte klim uit de geschiedenis van de Tour de France.

Coll de sa Batalla: een van de meest populaire bergritten op het eiland Mallorca.

Spanje, Spaanse eilanden & Portugal

Lagos de Covadonga	1.134 m
Alto de Gamoniteiro	1.772 m
Alto de l'Angliru	1.573 m
Rocacorba	970 m
Sa Calobra	682 m
Puig Major	848 m
De Teide	**2.356 m**
Mirador de Masca	1.045 m
Serra da Estrela	1.993 m

Met bijdragen van
Philippa York, Andy Hampsten en Shane Sutton

Lagos de Covadonga: aan de andere kant van de bergrug liggen twee gletsjermeren, de meren van Enol.

Lagos de Covadonga: voorbij de bergen ligt de Golf van Biskaje.

Narnia
Philippa York

Als ik de klim nader, is het verrassend stil. Van de vorige keer heb ik hele andere herinneringen. Ik ben al vaak aan de voet van deze berg geweest, maar vandaag is de sfeer anders. De eerste stukken bergop zijn niet al te zwaar en laten voldoende ruimte in mijn hoofd om naar een geschikt woord te zoeken voor wat ik voel. Sereniteit? Nee, straks gaat het pijn doen. Rust? Nee, dat is te simpel. Ervaar ik iets intimiderends? Iets beangstigends? De zon schijnt en het wordt langzaam warmer, maar het zweet staat op mijn voorhoofd en niet op mijn rug, dus dat is geen zorgwekkende prelude op wat er ongetwijfeld komen gaat.

Welkom.

Dat is het: 'Welkom.' In dit theater van de natuur. De flanken van het dal zien eruit als donkergroene fluwelen gordijnen, waarachter het toneel schuilgaat van een voorstelling die op het punt van beginnen staat. Het zwakke lichtschijnsel rond de top deed me ergens aan denken, en opeens wist ik het weer: de beruchte trip naar Narnia. Ter gelegenheid van een verjaardag (niet de mijne) gingen we naar een voorstelling, *De leeuw, de heks en de kleerkast*, en daar heb ik me ernstig misdragen.

Er waren verzachtende omstandigheden. Ik was een kind dat niet kon stilzitten en niet graag binnen zat. Ik merkte dingen op. Details. Als ik een vraag had over de futiliteiten van het leven, begreep ik het niet als mijn ouders daar geen antwoord op konden geven. Dat hoorde toch gewoon bij hun taak als opvoeders? Daarom moest ik daar nu ook op een klapstoel met fluwelen zitting plaatsnemen om me te laten vermaken met de toneelversie van een boek dat ik niet gelezen had. Anders was ik op datzelfde moment misschien in het park geweest om de zwanen op te jagen, met het risico mijn armen te breken als ik door hun vleugels werd geraakt.

Terwijl we daar op onze stoelen zaten, hoopten ze waarschijnlijk dat ik te zeer onder de indruk was van de hele setting om het streepje licht op te merken dat door het bovenste stukje van de slecht sluitende gordijnen heen piepte. Maar ik had allang gezien hoe het licht in de vorm van een driehoek afstak tegen het donker. Voor mij was dat heldere licht vele malen boeiender dan het programma te lezen of te tellen hoeveel kinderen er al aan het ruziën waren.

De simpele vraag waarom ze de gordijnen bovenaan niet helemaal gesloten hadden, liet me niet meer los en wierp een smet op mijn theaterbeleving die nooit meer zou verdwijnen. Ik zag de decors wiebelen, hoorde de acteurs schuifelen in de coulissen, zag kabels waaraan lampjes waren bevestigd en hoorde het piepen van een katrol die nodig moest worden gesmeerd. Maar het allerergste was dat ik zag dat de Leeuw geen leeuw was. Narnia, het wonderland, was helemaal niet magisch, maar had een goede onderhoudsbeurt nodig.

Dat besef lijkt over te springen op mijn linkercrank, want zodra ik op de pedalen ga staan klinkt er een vreselijk geknars uit die richting. Kennelijk hoef ik alleen maar aan toneel te dénken om dingen in de soep te laten lopen. Maar mechanisch ongemak kan ik nu niet gebruiken en ik gooi een plens water uit mijn bidon over de cranks, wat normaal gesproken zou moeten helpen. Het krakende protest stopt. Misschien worden daarom in het theater ook drinkpauzes ingelast, als onderhoudsbeurt voor diegenen die liever ergens anders zouden zijn.

Het is maar goed dat de crank nu geen lawaai meer maakt, want met die hinderlijke tegenwind ga ik continu in en uit het zadel, totdat de helling heel licht afvlakt in de buurt van de paar bochten die deze berg telt. Het zijn dan wel geen echte haarspeldbochten, maar de verandering van rijrichting biedt voldoende verlichting om te kunnen genieten van de blik achterom naar waar ik vandaan kom. Het was het geploeter absoluut waard, want het uitzicht is fenomenaal. Ik kan schapen onderscheiden, oude schuilhutten, ik kan zien waar stroompjes door het gras kronkelen en hoor een kettingzaag zoemen waarmee takken worden verwijderd.

Ver weg kan ik collega-fietsers onderscheiden die eruitzien als felgekleurde mieren die omhoog kruipen over de weg die ik zojuist heb afgelegd, en rechts zie ik een buizerd die gebruikmakend van de thermiek sierlijk en schijnbaar moeiteloos omhoog zweeft. Dat zou ik nu ook wel willen. De helft van dit alles had ik nog niet opgemerkt, maar nu ik de kans krijg neem ik alle beelden en geluiden op dit tijdloze terrein gretig in me op.

Een scherpe bocht die het begin van de tweede helft van de klim markeert, brengt me in één keer terug naar wat me te doen staat; ik schakel een paar keer kort na elkaar en sta dan langere tijd dansend op mijn pedalen. Het onheilspellende geknars is teruggekeerd, maar ik heb weinig zin de crank opnieuw te bevochtigen omdat ik het water zelf waarschijnlijk harder nodig zal hebben. Dankzij de wind die in mijn oren fluit, stoort het geluid me nu in elk geval veel minder. De buizerd zal de cranks zeker horen, maar het zware hijgen dat het geknars begeleidt is duidelijk niet afkomstig van iets dat op een sappig konijn lijkt, dus na een tijdje schiet de roofvogel weg om iets of iemand anders te gaan observeren.

Met de bochten achter me en de top weer in zicht kan ik de laatste paar kilometers in het zadel blijven en van de relatieve stilte genieten. Het is bijna een opluchting om naar boven te worden geleid door de zijwanden van het steeds smallere dal waar de weg op dit laatste stuk doorheen wordt geperst. Het ziet er misschien minder gastvrij uit dan aan het begin, maar het licht dat zo ver weg leek, is nu goed zichtbaar tegen de traag naderende horizon, en langzaam maakt een gevoel van voldoening zich van me meester. Dan – direct na de streep die de top markeert, net voordat ik me in de afdaling wil storten – zie ik mijn beloning: een ijscowagentje rechts van de parkeerplaats. In dat andere theater mocht ik geen chocolade-ijsje, maar dat ga ik vandaag goedmaken.

Lagos de Covadonga: vele maanden per jaar is de weg onbegaanbaar.

Alto de Gamoniteiro: de eenzame weg naar de top is een van de hoogst gelegen wegen in de bergen van Asturië.

Alto de Gamoniteiro: de betonnen weg bereikt hier en daar stijgingspercentages van 18 procent.

Alto de l'Angliru: in de Vuelta van 2002 stapte David Millar een meter voor de finish op de top demonstratief van zijn fiets en gaf zijn rugnummer terug aan de organisatie.

Alto de Angliru: steil en meedogenloos; in natte omstandigheden bijna niet te bedwingen.

De lier
Andy Hampsten

De staat North Dakota is volledig vlak, zo plat als Nederland. Het ligt in de Upper Midwest, midden in de Great Plains, die gevormd zijn door een gletsjermeer dat een tweedimensionaal landschap heeft gecreëerd. Er is lengte en breedte, er is ontzettend veel wind, maar geen diepte, geen bergen. In North Dakota ben ik met fietsen begonnen. Tegen die tijd had ik al wel eens bergen gezien en wist ik dat er ook gefietst werd, maar zelf had ik er nog nooit in gereden. Voor mij waren ze een mysterie.

Toen ik bij de junioren fietste en begon te reizen, bracht ik regelmatig tijd door in Colorado, waar het Amerikaans Olympisch Comité zijn hoofdkantoor heeft. In Colorado Springs, aan de rand van de Rocky Mountains, hielden we onze trainingskampen. Het was zwaar om met de oudere renners te trainen. We reden beklimmingen in de buurt, waar ze ons op de proef stelden. Ik was niet per se fitter dan de anderen, maar zodra de beklimmingen steiler en langer werden, merkte ik dat ik bergop behoorlijk goed mee kon. Die kampen hebben het fundament voor mijn carrière gelegd.

De oudere jongens gaven ons adviezen over hoe je moet klimmen. Ontspan, laat je lichaam het werk doen. Tips waar ik mijn hele loopbaan de vruchten van heb geplukt. Ik kwam uit de vlakten, waar de wind op je inbeukt, en vond fietsen in de bergen een opluchting, ook al was het hard, extreem hard werken. Vechten tegen de zwaartekracht leek op een bepaalde manier gemakkelijker. Misschien kwam het doordat ik zo licht was (een psychologisch voordeel), maar ik had in elk geval een voorsprong op de anderen, vooral op de niet-klimmers voor wie de beklimmingen vanaf de eerste meter een kwelling waren. Renners die tien jaar ouder waren dan ik en de Tour de l'Avenir reden – jongens die nationale kampioenschappen wonnen – zeiden dat ik erg goed klom, en dus legde ik me daarop toe.

Ik vroeg mijn coaches om heuvelachtige trainingsritten, en vroeg Bob Cook en andere grote Amerikaanse klimmers hoe ik te werk moest gaan en waarop ik me moest concentreren. Voor mij werd klimmen synoniem met tijdrijden, waarbij me verteld was mijn aandacht op mijn benen te richten, 360 graden rond te blijven trappen en mijn bovenlichaam stil te houden. Als mager jochie had ik nog maar weinig paardenkracht, dus moest al het andere kloppen. Hoe meer ik reed, des te meer ik mijn techniek ontwikkelde, die in wezen bestond uit blijven zitten en zo ontspannen mogelijk in hoog tempo de pedalen ronddraaien, niet op macht maar op souplesse.

Het duurde niet lang voordat ik resultaten begon te zien in wedstrijden met finish bergop. Ik weet nog dat ik een paar keer een bewegingswetenschapper bezocht toen ik problemen had met mijn knie. Hij wist niet veel van wielrennen en zei: 'Ik heb gehoord dat je er echt goed in bent. Hoe voelt het eigenlijk als je klimt? Ben jij het die tegen iets vecht en ergens tegenaan duwt, of is er juist iets dat tegen jou aan duwt?' Ik antwoordde dat het voelde alsof ik door een weerstand heen moest breken, alsof ik tegenwicht moest bieden aan de zwaartekracht, maar dat ik vooral ontzettend opgelucht was dat ik niet krom gebogen over mijn stuur tegen de wind hoefde te vechten. Deze man was echt geïnteresseerd in het klimmen en hij droeg me op me voor te stellen dat er aan mijn borst een kabel was bevestigd van een lier die me de berg op trok. Dat vond ik eerst een beetje vreemd, maar tijdens het trainen probeerde ik het uit en het hielp echt. In een tijdrit in de Giro d'Italia van 1988 moest ik mijn roze trui beschermen, dus toen ik van start ging sloot ik mijn ogen, stelde me voor dat ik die kabel voelde en liet het verder gebeuren. Als het even niet lekker liep, riep ik de gedachte aan de kabel weer op, en het werkte.

Net als de meeste klimmers val ik mijn tegenstanders graag aan als ze het moeilijk hebben en nog een paar kilometers te gaan hebben. Als je aanvalt ben je altijd op zoek naar de zwakke punten van je tegenstanders, waardoor je niet de sympathiekste indruk wekt. Als je iemand probeert bij te houden is dat niet om een praatje te maken.

Ik heb een heleboel klimkoersen gereden die ik niet heb gewonnen. Het kwam vaak voor dat ik bij plotselinge tempoversnellingen moest lossen. In dat soort situaties heb je de neiging in paniek te raken, maar mij lukte het meestal nog rustiger te worden en weer op adem te komen. Ik zei dan tegen mezelf dat ze gauw gas terug zouden nemen en naar elkaar zouden gaan loeren. Als ik maar constant tempo bleef rijden, zou ik ze wel weer terugpakken. En vaak lukte dat ook.

Later ben ik regelmatig teruggekeerd naar Italië en Frankrijk om een aantal van de beklimmingen te doen die ik in wedstrijden had gereden. Ik ging dan alleen en nam de tijd om in alle rust rond te kijken en een gevoel te krijgen voor de plek. Ik herinner me dat ik tijdens de koers naar die ongelooflijke landschappen keek en dacht: 'Hier moet ik nog eens terugkomen', maar in een wedstrijd zijn ze in een oogwenk weer verdwenen. Het is heerlijk om de beklimmingen uit de grote rondes nog eens over te doen zonder dat de druk van de koers op je schouders rust.

Alto de l'Angliru: de maximale stijging is 23,5 procent, met over een afstand van een kilometer een gemiddelde van 15 procent.

Rocacorba: de weg naar de top is rond 2006 geheel geplaveid en is een favoriete klim voor beroepswielrenners uit het naburige Gerona.

Rocacorba: vanaf de top kun je op een heldere dag de Pyreneeën zien.

Sa Calobra: renners en auto's delen de smalle weg.

Sa Calobra: de officiële naam is de Coll dels Reis, maar meestal wordt de naam van het dorpje aan de voet van de berg gebruikt.

Sa Calobra: een mekka voor beroepswielrenners en liefhebbers die al vroeg in het seizoen willen trainen.

Puig Major: de hoogste klim op Mallorca wordt vaak opgenomen in de Trofeo Serra de Tramuntana, een van de vroegste wedstrijden van het seizoen.

De Puig Major maakt deel uit van de Serra de Tramuntana, die het hele noorden van Mallorca beslaat.

De Teide

2.356 m

Shane Sutton

Zijn trainingen op de Teide waren voor Brad (Wiggins) bepalend voor het winnen of verliezen van de Tour de France van 2012. Toen hij in 2011 zijn sleutelbeen brak, dacht ik dat hij daarmee zijn kansen verspeeld had, maar toen we enkele maanden voor de Tour boven op die berg stonden, veranderde ik van gedachten. Ik besefte dat hij er klaar voor was.

Boven de boomgrens is de Teide kaal en verlaten, het is er als op de maan. Er is niets anders dan een vulkanisch landschap met bizarre rotsformaties, maar verder naar beneden is de weg aangenaam omzoomd met bomen en zijn de uitzichten adembenemend. Als berg is de Teide uniek; vrijwel nergens anders kun je vanaf zeeniveau in één keer naar een hoogte van 2.100 meter klimmen. Het is geen overdonderende klim, maar ideaal voor Brads bereik (hij klimt het best bij stijgingspercentages tussen 7 en 10 procent). Het is een beklimming die je moet ondergaan om te kunnen waarderen.

We begonnen meestal in El Médano aan de zuidkust en reden dan via Granadilla naar Vilaflor. Het hogere gedeelte voorbij Vilaflor heeft voor mij nog steeds iets bijzonders: daar begon het echte afzien, daar verrichtten we de trainingsarbeid die Brad later de overwinning zou bezorgen.

Ik volgde Brad op een brommer, als een pizzabezorger. Hij lag voorover op zijn fiets en ik zag hem zijn lichaam afbeulen, zag hoe zijn longen uitzetten, lucht naar binnen zogen en weer lieten ontsnappen. Soms ging ik naast hem rijden om hem tot volhouden aan te sporen, maar hij registreerde mijn aanwezigheid maar nauwelijks.

Ongeveer halverwege de top zit een scherpe bocht naar rechts. In deze fase van de klim reed hij hard, bijna op maximaal vermogen, tegen de verzuringsdrempel aan, maar van daaraf is het nog ongeveer acht kilometer naar de top. Ik had er niet altijd vertrouwen in. Soms kwamen we bij een haarspeldbocht en dan dacht ik: 'nu gaat hij stoppen', maar dat gebeurde nooit. De meeste mensen breken op de Teide, ze ontploffen, maar Brad wist juist daar ook de laatste druppel benzine uit zijn tank te halen. Hij reed de klim alsof het een tijdrit was, voortdurend op het randje.

Weken achtereen was de Teide onze wereld. We logeerden helemaal boven, bij het Paradorhotel, waar je op hoogte slaapt, maar ook behoorlijk geïsoleerd zit. Het is er totaal verlaten en griezelig stil; het dichtstbijzijnde dorp ligt 24 kilometer verderop. Je hele leven draait nog maar om één ding: zo snel mogelijk naar boven fietsen. Het enige wat je daar kunt doen is trainen, herstellen en slapen. Ik herinner me nog hoe we daar zaten en dat ik dacht dat we een plek hadden gevonden waar we heel diep konden gaan.

De Teide: wolken wervelen rond in de krater.

De Teide: een populaire bestemming voor hoogtestages in de aanloop naar de Tour.

De Teide: de weg doorsnijdt oude lavastromen.

De Teide: de lichtjes van de kuststad Puerto de la Cruz schijnen onder het lage wolkendek door.

De Teide: het Parador-hotel ligt aan de voet van de vulkaankegel.

Mirador de Masca: het dorpje tegen de helling biedt een spectaculair uitzicht over zee.

Mirador de Masca: het dorp, oorspronkelijk een Guanche-nederzetting, ligt op een hoogte van 650 meter in de bergen van Macizo de Teno.

Serra da Estrela: deel van de hoogste bergketen op het vasteland van Portugal.

Serra da Estrela: het hoogste punt van de pas is een plateau dat bekendstaat als Torre.

Serra da Estrela: de bergketen wordt gevormd door een enorme rug van graniet.

Serra da Estrela: een vast onderdeel van de Volta a Portugal, de 'vierde grote tour'.

Serra da Estrela: de 27 kilometer lange klim heeft een stijgingspercentage van 7 procent, met hier en daar hellingen van meer dan 16 procent.

Serra da Estrela: het enige skioord in Portugal ligt aan de beklimming naar de top.

Pas over de Giau: een van de mooiste cols van de Dolomieten.

Dolomieten & Italiaanse Alpen

Passo Fedaia	*2.057 m*
Colle delle Finestre	*2.176 m*
Colle del Nivolet	*2.612 m*
Passo Giau	***2.236 m***
Passo Valparola	*2.192 m*
Passo Sella / Sellajoch	*2.240 m*
Passo dello Stelvio	***2.758 m***
Passo San Boldo	*706 m*
Passo Pordoi	*2.239 m*
Passo Gardena	*2.121 m*
Passo del Mortirolo	*1.852 m*
Passo di Gavia	***2.652 m***
Passo dello Spluga / Splügenpass	*2.113 m*

Met bijdragen van
Tao Geoghegan Hart, Maurizio Fondriest, Allan Peiper, Ivan Basso, Greg LeMond, Lizzie Deignan en Andy Hampsten

Passo Fedaia: de Marmolada ligt naar het zuiden.

Passo Fedaia: Lago di Fedaia is 2 kilometer lang en ligt aan de voet van de Marmoladagletsjer.

Colle delle Finestre: de laatste 8 kilometer van de klim gaan over een kiezelpad.

Colle delle Finestre: de weg geeft toegang tot het Forte di Fenestrelle, gebouwd rond 1700, het grootste versterkte bouwwerk in Europa.

Plaats
Tao Geoghegan Hart

Plaats I

Ik reis tussen werelden die soms donker en nat zijn, vochtig als ongerepte ochtenddauw, soms oud en bekend, in mijn brein gegraveerd als de lijnen in mijn handpalmen en soms nieuw, frisse lucht in elke betekenis van het woord. Wat voor werelden het ook zijn, altijd zijn er wel lessen te leren.

Ik kom door donkere schaduwen en ijskoude lucht die diep in mijn longen doordringt. Op de tast zoek ik mijn weg, het wegoppervlak loopt op tussen mijn handen, rammelt aan mijn knokkels, verkleurt mijn huid. Zo nu en dan ontsnapt een lichtschittering aan het hemelgewelf, een vluchtige kans om te bepalen waar ik me bevind. Maar de meeste tijd rijd ik als door een tunnel, alles daarbuiten valt buiten mijn blikveld.

En dan duwen mijn vaart en de slingerende weg me een lichtplek binnen. Onmiddellijk wordt mijn lichaam opgewarmd, maar dat gevoel is tijdelijk, zoals alles tijdelijk is. Weer zie ik niets. Maar ik voel. En hoe dieper je ploegt, hoe hoger je je waagt, des te meer je voelt. Als je je laat gaan, omkeert, zal dat gevoel eeuwig bij je blijven. Er is geen ontsnappen aan, er is maar één uitweg: je kunt alleen naar boven.

De weg slingert soepel naar boven, voorlopig nog rustig aan. Er zijn een paar rimpelingen, ter compensatie verslappen mijn handen hun grip. De weg stuwt me naar voren, tegen de wil van de natuur in. Hij snijdt een pad tussen links en rechts, met geen ander doel dan boven te komen, aan het einde. En ook ik dien, naarmate de hellingshoek mijn tempo vertraagt, geen ander doel dan de top te bereiken.

Ik voel de behoefte vanaf de top van deze berg naar beneden te kijken. Het land beneden is machtig, onafhankelijk. Hierboven is het koud, anders, afstandelijk. Maar het is er vredig. Een eigen plek. Een rariteit. De stad waar ik opgroeide is bezaaid met bezienswaardigheden, maar ze zijn kunstmatig: geconstrueerd, gecreëerd. Pas buiten de bubble van de stad, hier boven op de berg, vind ik een blijvend helder gevoel.

Plaats II

Vijf uur heb ik geploeterd, zonder een woord te spreken, en amper een levende ziel gezien. Haar hand rust uitdagend op de toonbank. Ik zie haar ogen dieper worden, aanvankelijk; kraaienpootjes die naar alle richtingen uitwaaieren verscherpen en verstrakken als ik mijn handen uitsteek. De glazen deur hangt zwaar in zijn scharnieren, geeft langzaam en met tegenzin mee. Ik duw aarzelend, kijk door mijn hand, door mijn eigen verweerde hand, kijk naar haar. Zij kijkt naar mij.

Haar teleurstelling dat ik een onbekende ben, voel ik vrijwel onmiddellijk. Zelfs door de glasplaat van de deur.

Ik zet mijn bril af en klik de sluiting onder mijn kin open, een onbewuste vorm van beleefdheid misschien. Mijn blik valt op de klok boven de toonbank, de tijd herinnert me aan een leven buiten deze verlaten bergweggetjes en de dorpjes waarheen ze leiden. De secondewijzer kruipt tergend langzaam vooruit, bijna ongevoelig voor de tijd zelf en in overeenstemming met zijn bescheiden omgeving. Ik werp een korte blik naar buiten, naar dat leven in de verte. Ik zie doorweekte stenen muren, druipend van het vocht, deuren die lang voor mijn geboorte zijn vervaardigd, uitdagend gesloten.

Ik ga zitten en ontdoe me van mijn hoofddeksel, de buitenste laag van mijn kleding en de inhoud van mijn zakken. In mijn vingers zit geen gevoel, dus ze rommelen maar wat rond en vissen op wat ze te pakken krijgen. Een muntje valt op de grond en rolt een donkere hoek in, kwijt. De anticlimax van een onbekende gast hangt zwaar in de lucht en ik voel dat hier maar zelden vreemden komen. Ik probeer warm te worden, zowel van buiten als van binnen, maar zonder veel succes. De kou is de afgelopen uren in mijn botten getrokken, en ook in de hare – maar dan al vijftig jaar of meer geleden. Haar lippen staan strak en vastberaden en een vreemde stilte weergalmt in mijn oren. Ik wilde dat er een tweede muntje op de stenen tegels viel en het niets zou doorbreken.

We wisselen een paar woorden, gebrekkig van mijn kant, en ze draait me haar rug toe. Ik hoor het handvat op zijn plaats klikken en de machine met een zacht gebrom tot leven komen. Even later komt ze terug met een kop en schotel in haar hand. Op de rand van het schoteltje balanceert een koekje. Ze zet het op een gehavend houten tafeltje en buigt zich op moederlijke wijze over me heen, in scherp contrast met haar eerdere houding. Mijn hand gaat onmiddellijk naar het oortje. Ze kijkt me aandachtig aan terwijl ik een slokje neem, alsof het een wondermedicijn betreft. En dan, vanuit het niets, verschijnt er een brede onweerstaanbare lach op haar gezicht, even breed en omvattend als de bergen waarvoor ik beschutting zoek.

Slechte koffie drinken is als een lange martelende trainingsklim op een dag dat je geen goede benen hebt. Het doet pijn, het is niet leuk, maar het dient wel een doel. Je weet hoe het zou moeten voelen, maar dat gevoel komt nooit echt. Toch word je er wel warm van en vind je er een simpel soort troost in. Ondanks hun soms straffe karakter hebben een klim en een kop koffie gemeen dat ze altijd je geest lijken te verfrissen, zelfs op de slechtste dagen.

Maar deze koffie is helemaal niet slecht. De warme vloeistof kalmeert, sijpelt diep in me door, veel verder dan ik verwacht had. Zij blijft glimlachen terwijl ze zich terugtrekt naar haar plaats achter de bar, terug naar haar uitgangspunt. Haar toon is veranderd en als onze blikken elkaar vangen, verdwijnt de spanning, de blik door de deur, de kou.

Ik besef dat ik niet alleen voor haar een vreemdeling ben: de meeste mensen hier zien ons als vreemde figuren. Het is niet normaal wat wij daar doen, daarbuiten in dat, daarboven in die. Ik haal me het bezwete, met zand bespikkelde gezicht voor de geest dat zij door de glazen deur gezien moet hebben; de vermoeide, groezelige hand die diep in verborgen zakken tast en er allerlei muntjes en opgevouwen bankbiljetten uit opdiept; de hese, buitenlandse stem die wordt gehinderd door een vertroebeld brein en haperende luchtwegen; het verlangen de koffie in één keer naar binnen te slaan.

Ik sta op om naar het leven terug te keren en zij steekt haar hand op, even ontspannen als ik. Haar zwaaiende hand en de lach in haar ogen bevestigen dat ik niet langer een vreemde ben, ondanks alle barrières die tussen haar wereld en de mijne liggen.

Ik reis tussen werelden, naar boven en naar beneden. Maar ergens, hoog of laag, vind ik mijn plek.

Colle delle Finestre: voor het eerst opgenomen in de Giro d'Italia van 2005; de top ligt op 2.146 meter boven zeeniveau.

Colle del Nivolet: de pas ligt in de Grajische Alpen in Noord-Italië.

Colle del Nivolet: deze weidse klim kronkelt door Gran Paradiso, het oudste natuurpark van Italië.

Colle del Nivolet: de weg volgt het dal van de Orco en passeert twee stuwdammen.

Colle del Nivolet: met een hoogte van 2.612 meter is de pas een van de hoogste in Europa.

Dolomieten & Italiaanse Alpen

Passo Giau

2.236 m

Maurizio Fondriest

Het was de Giro d'Italia van 1989, en als wereld-kampioen op de weg reed ik in de regenboog-trui. Ik ben geen klimmer, maar ik had altijd de drang, de brandende ambitie in bergetappes bij de eerste tien te eindigen; het was mijn eer te na me bij de *gruppetto* aan te sluiten.

De Giau zat in het midden van een etappe van 131 kilometer. Ik was nog jong en het was pas mijn tweede jaar als profrenner, maar ik was wereldkampioen en we reden door de streek waar ik vandaan kom. Ik kende de wegen en was vastberaden me te laten zien aan het Italiaanse publiek. Mijn strategie was om in de klim aan te vallen en een gat te slaan, in de hoop uiteindelijk in de kopgroep te finishen.

De Giau is berucht. Het onderste stuk is steil, zo steil dat je gedwongen wordt uit het zadel te gaan. Het is echt lastig om langere tijd op de pedalen te staan; het kost enorm veel kracht en maakt de klim extra zwaar.

Het regende al toen we aan de klim begonnen en hogerop werd de regen intenser om daarna plaats te maken voor natte en vervolgens droge sneeuw. De wolken hingen laag, en het was zo donker dat het bijna nacht leek. Op de top van de pas kwam ik als eerste door, precies zoals ik wilde.

Er is een foto van mij op de klim. Ik ben ge-focust, al mijn aandacht is erop gericht als eerste boven te komen. Mijn witte trui is besmeurd met vuil, en de regenboogstrepen op mijn rug zijn nauwelijks nog zichtbaar door de sneeuw. Het voelde allemaal heel heroïsch. Uiteindelijk finishte ik als veertiende. In gezelschap van Stephen Roche kwam ik binnen op ongeveer drie minuten van de winnaar, Flavio Giupponi, maar ik had de top als eerste gepasseerd. Ik had mijn doel bereikt.

Klimmen in slecht weer is niet moeilijk, maar als je moet afdalen in regen en sneeuw, als je nauwelijks iets ziet en het ijskoud hebt, raakt de wedstrijd op de achtergrond en gaat het er alleen nog om heel beneden te komen. Dit was een van die dagen die ik nooit meer vergeet. Het zijn geen goede dagen; ze blijven je bij omdat je hebt geleden.

Passo Giau: het hoogste punt van deze pas ligt op 2.236 meter.

Passo Giau: de voorlaatste klim in de zwaarste versie van de eendaagse Maratona dles Dolomites (de Dolomietenmarathon).

Passo Giau: de top van de klim wordt gemarkeerd door een kapelletje en een berghotel.

Passo Giau: temperatuurinversie boven het dal naar Cortina d'Ampezzo.

Passo Valparola: het uitzicht over de Dolomieten naar het zuiden is oogverblindend.

Passo Valparola: de laatste klim van de Maratona dles Dolomites (de Dolomietenmarathon), een eendagskoers.

Gevecht
Allan Peiper

Als je geen klimmer bent, gaat het in het hooggebergte simpelweg om overleven. Je wordt er steeds opnieuw geconfronteerd met je sterfelijkheid als renner en als mens. Sommige van die momenten – de absolute dieptepunten – werden keerpunten in mijn carrière.

Het was 1992 en ik reed mijn laatste Giro. Ik was al vroeg ontsnapt en had negen minuten voorsprong op het peloton. Ik reed al 150 kilometer solo, pedalerend, gefocust, alleen. Aan de voet van de Monte Terminillo kwam aan mijn vlucht een einde. De mannen van Banesto, de ploeg van Miguel Indurain, waren tempo gaan rijden. Ze openden de jacht en kregen me te pakken; soms zijn renners als leeuwen in de savanne.

Toen het stijgingspercentage begon op te lopen, reed ik lek. Van het ene op het andere moment brak ik. Het ene na het andere groepje haalde me in; ik voelde me zoals een kind zich vergeten of genegeerd kan voelen. Ik was geknakt en had niet alleen de grip op de koers verloren, maar ook op mijn emoties. Dat ik in het laatste groepje terechtkwam was een kantelpunt, en drie of vier kilometer onder de top was het definitief met me gedaan.

Als je moet huilen kun je niet goed ademhalen, en als je niet goed kunt ademhalen, ligt de paniek om de hoek. Ik herinner me het gevoel van paniek. Ik herinner me dat het leek alsof iemand mijn longen afklemde, er ook het laatste druppeltje lucht uitperste.

Wat er allemaal in 'de bus' gebeurt, zie je nooit op televisie en ook wat er vervolgens gebeurde is nooit op camera vastgelegd. Cipollini, een renner die ik soms wel kon wurgen en soms wel kon zoenen, legde zijn hand op mijn rug en begon me naar boven te duwen. Er zijn toprenners die mijn geestestoestand van dat moment niet kennen, maar hij herkende mijn pijn. De fysieke moeilijkheden kun je verdringen, de emotionele komen en gaan, maar in je geest zit een blokkade – er staat een enorme ondoordringbare muur voor je. Je vecht tegen je mentale zelf.

Veel van de renners die tijdens deze Grand Tour in de bus zaten, waren via omwegen in het profwielrennen terechtgekomen. Er zaten veel Engelstaligen bij – renners als [Paul] Sherwen, [Sean] Yates, [Steve] Bauer en [Phil] Anderson; het 'vreemdelingenlegioen'. We waren in Frankrijk beland zonder de taal te spreken of de cultuur te kennen, en moesten ons op onze weg naar succes in vele bochten wringen. Wij vreemdelingen moesten twee keer zo hard werken om een contract te veroveren, en dat zorgde voor een onderlinge band. In tijden van nood bleven we bij elkaar.

Die klim had mijn ego verbrijzeld, me zo totaal uitgekleed dat er niets meer was om me te beschermen. Er waren geen pretenties meer om hoog te houden. Iedereen die in bergetappes achterin rijdt, begrijpt dat het een gevecht is en dus sluiten renners zich aaneen, als broeders.

De emoties die met de fysieke inspanningen van een lange klim gepaard gaan, kunnen op een vreemde manier naar buiten komen. Op een keer reed ik met Paul Sherwen ergens achter in de bus de Alpe d'Huez op. Opeens sprong er een Nederlandse supporter uit het publiek naar voren om een Nederlandse renner te duwen en bleef, toen de renner was verdwenen, opeens midden op de weg stilstaan. Ik reed vol tegen hem aan en viel.

Vervolgens ging ik door het lint. Ik gooide mijn fiets opzij, holde achter hem aan, drukte hem met zijn rug tegen een stenen muur en kreeg een rood waas voor ogen. Ik beukte op hem in, ranselde hem af. Toen voelde ik dat Paul Sherwen me bij mijn arm pakte. 'Laat nou. Kom op, we moeten verder, doorfietsen.' Hij maakte zich geen zorgen over die man, maar over de tijdslimiet; Sherwen rekende altijd precies uit hoeveel tijd hij mocht verliezen en die dag hadden we iedere seconde nodig. We redden het net, nadat we de laatste 200 meter vol hadden moeten sprinten; het was een verschrikkelijke inspanning. Ik heb me nog vaak afgevraagd hoe het met die supporter is afgelopen.

'De bus' is een soort familie: er wordt veel geouwehoerd en er is empathie. Ik herinner me nog dat ik in mijn eerste jaar als profrenner tijdens Parijs-Nice de Mont Ventoux moest beklimmen. Gerrie Knetemann passeerde me in het onderste gedeelte, keek me in het voorbijgaan in de ogen en zei: 'Jij zult nooit een klimmer worden.'

In zekere zin was die dag op de Ventoux bepalend voor mijn carrière. Uiteindelijk haalde ik Paul Sherwen bij en samen haalden we Knetemann in, die toen aan het eind van zijn carrière zat. Toen we Gerrie passeerden draaide hij zijn gezicht naar me toe. Het zweet parelde van zijn rood aangelopen hoofd. We keken elkaar aan en hij mompelde: 'Ik zal nooit een klimmer worden.' Hij stond op instorten maar was zijn gevoel voor humor nog niet kwijt. Het was een van die momenten van kameraadschap die alleen in oorlogen voorkomen. Sindsdien noemden Sherwen en ik elkaar gedurende de rest van onze loopbaan 'de klimmer'.

Passo Sella maakt deel uit van de Sella Ronda skiroute.

Dolomieten & Italiaanse Alpen

Passo dello Stelvio

2.758 m

Ivan Basso

Een van mijn vroegste herinneringen op de fiets is dat ik als achtjarig jongetje met mijn vader de Stelvio beklim. Er is een geweldige foto van mij op die klim; het was een schitterende zomerdag, warm genoeg voor een trui met korte mouwen, en ik reed op mijn blauw met zilveren Francesco Moser racefiets. De Stelvio is voor elke fietser lastig, maar voor een kind is het een extra bijzondere prestatie; het voelde alsof ik de hoogste berg van de wereld beklom.

De Stelvio staat symbool voor de Italiaanse Alpen en heeft een magische aantrekkingskracht op fietsers. Het is een beklimming die je gereden en ervaren moet hebben, maar hij is genadeloos. Door zijn hoogte, lengte en stijgingspercentage behoort de Stelvio tot de zwaarste beklimmingen die er zijn. De weg is aangelegd door een ingenieur, Carlo Donegani, die gekscherend de 'ontwerper van het onmogelijke' werd genoemd. Het heeft 2.500 man vijf jaar gekost om de klus te klaren, en er zijn zeventig haarspeldbochten. De Stelvio is een lust voor het oog.

Alleen al het horen van de naam 'Passo dello Stelvio' jaagt me de rillingen over mijn rug. Op dit soort lange beklimmingen is er maar één regel: zorg dat je jezelf niet opblaast (in het Italiaans zeggen we 'fuori giri'), vooral in een wedstrijd. Als je te hard van start gaat, ook al voel je je sterk, moet je dat later bezuren. In de laatste vijf kilometer rijd je meer dan 2.000 meter boven de zeespiegel, en daar is zo weinig zuurstof dat je voortdurend naar adem zit te happen.

Je ziet op de Stelvio zelden iemand aanvallen, en dat komt doordat de klim zo lang is. De laatste paar kilometers voor de top zijn echt verschrikkelijk steil; je kunt er niet harder dan een kilometer of acht per uur. Tegen die tijd heb je al twintig kilometer bergop gereden. Dat eist zijn tol, en dan is er nog maar een heel kleine tempoversnelling nodig om renners uit de groep te zien wegvallen. Deze klim zorgt vanzelf voor een schifting, je kunt je het aanvallen besparen.

Als wielrenner word je pas op de beklimmingen echt één met je fiets. Klimmen kan een intense, emotionele ervaring zijn, en het beste gevoel op de fiets heb ik als ik alles geef en op mijn limiet zit.

Ik heb de Stelvio beklommen in de Giro d'Italia toen ik tot de favorieten voor het algemeen klassement behoorde, en in andere wedstrijden waarin ik geen kans maakte op de eindzege en ontspannen mee kon rijden. Mentaal benader je een klim heel anders als je meedoet voor de overwinning dan wanneer er weinig op het spel staat.

Als het niet lekker loopt kan deze berg echt wreed zijn. In 2005 stond ik tweede in het algemeen klassement van de Giro, en mijn doel was op het podium te komen en liefst eerste te worden. De dag ervoor had ik al last gehad van maagkrampen en naarmate ik dichter bij de Stelvio kwam werd de pijn erger en erger. Elke pedaalslag op die lange, ontzettend steile helling was een marteling. Ik verloor 42 minuten en mijn kansen om de Giro te winnen waren verkeken. Op die dag leek de Stelvio inderdaad de hoogste berg van de wereld.

Passo dello Stelvio: een groot deel van het jaar is de weg geblokkeerd door sneeuw en ijs.

Passo dello Stelvio: aan het dak van de tunnel hangen dikke ijspegels.

Passo dello Stelvio: een van de scherprechters van de Giro d'Italia.

Passo dello Stelvio: 'In de laatste paar bochten had ik het gevoel dat ik doodging,' aldus Fausto Coppi, nadat hij in de Giro d'Italia van 1953 het hoogste punt had bereikt.

Passo dello Stelvio: de renners klimmen naar de pas vanaf Bormio tijdens de Granfondo Stelvio Santini van 2014.

Passo dello Stelvio: de Cima Coppi-prijs voor de renner die als eerste het dak van de Giro d'Italia passeert, wordt vaak gewonnen op de Stelvio.

Passo dello Stelvio: tussen Prato en de top liggen achtenveertig haarspeldbochten.

Passo San Boldo: het verkeer door de vijf éénbaanstunnels wordt geregeld met verkeerslichten.

Passo San Boldo: de 'honderddagenweg' werd in de Eerste Wereldoorlog aangelegd door het Oostenrijks-Hongaarse leger en krijgsgevangenen.

High Life
Greg LeMond

In Minneapolis heb je geen bergen. Het is vreemd daar nu te wonen, want bergen hebben in mijn leven altijd een belangrijke rol gespeeld.

Toen ik acht was, verhuisden we van Los Angeles naar Washoe Valley, in de buurt van Reno. Ik kan me nog goed herinneren hoe we daar met de auto naartoe reden, vanuit Los Angeles de bergen van de Sierra Nevada in: het landschap was voor een stadsjongetje zo overweldigend dat ik die reis nooit zal vergeten. In die eerste jaren draaide alles om wandelen, vissen en kamperen in de bergen; de kristalheldere luchten, de bomen, de rotsen – ik vond het allemaal fascinerend. Later leerde ik skiën en werd die sport mijn lust en mijn leven; ik wilde alleen nog maar zo snel mogelijk afdalen.

Op een gegeven moment besloot ik 's zomers te gaan fietsen om mijn conditie op peil te houden en al snel reed ik één of twee keer per week beklimmingen van 15 kilometer. In die periode fietste ik nog alleen als training voor het skiën, maar de daaropvolgende winter was een van de droogste ooit. Er was geen sneeuw, dus bleef ik maar fietsen. Ik genoot van de snelheid, van het uitgeput raken en het daaropvolgende herstel. Later in mijn leven, toen ik eenmaal profrenner was geworden, bleek mijn herstelvermogen een van de belangrijkste factoren van mijn succes; in iedere grote ronde van drie weken is de laatste week de fase waarin renners bezwijken en de tijdsverschillen worden gemaakt.

Tijdens trainingen had ik tijd om echt van de bergen te genieten. In de aanloop naar de Dauphiné of de Tour de France ging ik vaak een dag of tien op trainingskamp in de Alpen. Het liefst ging ik naar gebieden met veel verschillende hellingen om op te trainen. Chambéry was ideaal: van daaruit kon ik iedere dag een andere route met andere cols kiezen.

Het verschil tussen koersen en trainen zit hem in het afzien. Als je traint, ga je nooit zo diep als in een wedstrijd, en daarom hield ik zo van wedstrijden. Tijdens de koers, als het er echt om gaat, kun je altijd dieper in je reserves tasten dan anders. Het is bijna onmogelijk tijdens een training vergelijkbare inspanningen te leveren, wat de reden was waarom ik altijd meer dan honderd wedstrijden per jaar reed. En áls ik trainde, trainde ik op 'kritisch duurvermogen', waarbij je steeds net onder de verzuringsgrens blijft. Ik geloofde niet in lichte trainingen en dus trok ik er iedere dag op uit voor intensieve trainingen van zeven uur. In de grote rondes wordt je lichaam in de bergen pas echt op de proef gesteld en moet je voortdurend geconcentreerd en gefocust blijven, dus daar moet je ook op trainen.

Als je tijdens een klim diep in je reserves hebt moeten tasten om in de kopgroep te blijven, geeft het bereiken van de top een intens gevoel van opluchting. Ik dacht dan altijd bij mezelf: nu komt het leuke gedeelte. Ik was nooit nerveus voor een afdaling. Ik was niet bang om te vallen en gewond te raken omdat ik precies wist waar mijn grenzen lagen. Voor mij was er in de bergen niets mooiers dan afdalen.

Veel mensen begrijpen niet hoe belangrijk een goede beheersing van de fiets is als je in een afdaling tijd wilt goed maken, maar daarmee kun je echt het verschil maken. Ik won de Tour van 1986 in een afdaling. Ik droeg de gele trui en mijn ploeggenoot Bernard Hinault, die tweede stond, ging in de aanval. Ik zat in het wiel bij Urs Zimmermann, die derde stond in het algemeen klassement. Ik verwachtte dat Zimmermann wel in de tegenaanval zou gaan, maar hij bleef zitten en het gat groeide.

Er zat een vlak stuk dal van 20 kilometer tussen de Col du Télégraphe en de Col du Glandon en ik wist dat ik een uitzichtloze achterstand zou oplopen als ik er niet snel in slaagde het gat met Hinault te dichten. Ik moest dus weer bij Hinault zien te komen, maar Paul Köchli, mijn ploegleider bij La Vie Claire, kwam met de ploegleiderswagen naast me rijden en gaf me te kennen dat ik Zimmermann onder geen voorwaarde mocht terugbrengen: 'Je moet hem losrijden,' zei hij. Intussen had Hinault al anderhalve minuut voorsprong, en verkeerde bovendien in gezelschap van vijf of zes renners die met hem samenwerkten, onder wie Ruiz Cabestany en Steve Bauer, en ze reden op vol vermogen.

Ik zag mijn kansen om de Tour te winnen langzaam vervliegen. Ik moest terug zien te komen bij de groep Hinault. Als je van de Galibier af komt en door Valloire rijdt, kom je bij een klim van een kilometer naar de top van de Télégraphe. Een paar honderd meter onder de top sprintte ik zo hard mogelijk weg in een poging Zimmermann te lossen. We begonnen aan de afdaling en toen we de eerste haarspeldbocht in gingen, hoorde ik zijn voorwiel aanpikken bij mijn achterwiel. Ik had geen andere keus dan er nog een schepje bovenop te doen en vloog de helling af. Normaal gesproken is het in een afdaling gemakkelijker een andere renner te volgen dan bergop, maar ik had een geweldige moraal en op een gegeven moment kon Zimmermann me niet meer volgen. Ik haalde Hinault zo snel in dat het hem totaal verraste: ik had mijn anderhalve minuut achterstand in tien kilometer goedgemaakt. Voor mij was het gemakkelijker in de afdaling tijd terug te winnen dan op het vlakke, waar hij nog zes andere renners bij zich had.

Grote rondes worden in het hooggebergte gewonnen en verloren. Eén slechte dag en je klassement is naar de vaantjes. Hoewel ik geen geboren klimmer was, had ik geen angst voor de bergen. Mijn fysiologie was ideaal voor grote rondes: het zuurstofopnamevermogen van mijn lichaam was in de jaren negentig extreem hoog en ik reed voor sterke ploegen, Renault en La Vie Claire. De enige tegenstanders waarover ik me echt zorgen moest maken waren mijn eigen teamgenoten; in mijn toptijd was ik ervan overtuigd dat er eigenlijk niemand was die me kon verslaan, op Laurent Fignon en Bernard Hinault na.

Toch heb ik altijd grote bewondering gehad voor klimmers als Luis Herrera. Hij maakte deel uit van een groepje Colombianen, met onder andere Fabio Parra, die naar Europa kwamen zonder iets te weten van de geschiedenis of de tactiek van het wielrennen, maar daar lieten ze zich niet door afschrikken: zodra de weg omhoog begon te lopen, gingen ze in de aanval. Het waren niet de grootste stuurkunstenaars en ook rusten en herstellen was niet hun sterkste kant, maar fietsen konden ze. In veel opzichten waren de Colombianen net als wij. Ook wij waren zonder voorkennis naar Europa gekomen en er was ons niemand voorgegaan. We moesten onze eigen weg vinden en hebben het wielrennen waarschijnlijk in veel opzichten veranderd. We hadden in ieder geval zo onze eigen ideeën over trainen en koersen.

Dit gezegd hebbende was er toch maar één coureur die als echte pure klimmer onovertroffen was: Federico Bahamontes. Hem op zijn fiets zien zitten was een lust voor het oog; hij zweefde op de pedalen en danste op de cols omhoog. Bahamontes, de 'adelaar van Toledo', maakte een onuitwisbare indruk op me. Hij stak echt met kop en schouders boven iedereen uit.

Passo Pordoi, met het bergmassief van de Sella in de verte.

Passo Pordoi: vanaf de pashoogte loopt een cabinelift naar de Sasso Pordoi.

Passo Pordoi: de afdaling terug naar Arabba.

Passo Pordoi: op de pas staat een monument ter ere van Fausto Coppi.

Passo Gardena, in het hart van de Italiaanse Dolomieten.

Passo Gardena: de klim omvat een aantal nauwe haarspeldbochten waarin de renners telkens 180 graden moeten omkeren.

Passo Gardena: maakt deel uit van de Sella-ring, die de passen over de Gardena, Sella, Pordoi en Campolongo verbindt.

Weg van kantoor
Lizzie Deignan

Ik ben een taaie renner, maar geen geboren klimmer. Het meest voel ik me thuis op de korte venijnige klimmetjes in klassieke wedstrijden – misschien omdat ik ben opgegroeid in Yorkshire, waar de hellingen kort en steil zijn. Als het om beklimmingen als de Koppenberg gaat, weet ik dat ik redelijk vlot boven kom en dan nog steeds kan meedoen om de prijzen. Mezelf oppeppen voor een eendaagse wedstrijd lukt meestal nog wel, maar eigenlijk ben ik te fragiel voor meerdaagse koersen. Toch schrik ik er niet voor terug de bergen in te gaan.

Klimmen is voor de meeste wielrenners een belangrijk onderdeel van hun training, of ze nu klimtalent hebben of niet. In de bergen bouw ik duurvermogen op en vreemd genoeg geniet ik van het afzien; hard omhoog fietsen en de grenzen van mijn fysieke mogelijkheden aftasten geeft me het gevoel dat ik leef. Dat genieten van afzien heeft voor een deel met koppigheid te maken – en als wielrenner moet je over nogal wat koppigheid beschikken. Zo ben ik ook in deze tak van sport terechtgekomen. Toen British Cycling bij ons op school kwam, op zoek naar nieuwe rekruten voor hun talententeam, wilde een vriend met me wedden dat ik hem niet kon verslaan. Dat kon ik niet over mijn kant laten gaan, dus ik nam de uitdaging aan en versloeg hem, al ging dat niet gemakkelijk. Het was een pittig gevecht, maar die dag veranderde mijn leven.

Het was geen moeilijke beslissing om de baan te verlaten en me op de weg te concentreren. Niet dat ik een hekel had aan de gladde planken, het trainen van het uithoudingsvermogen en het hoge-intensiteitswerk op de wielerbaan, maar ik had nu eenmaal meer liefde voor de buitenlucht, het landschap en de bergen. Als baanwielrenner had ik altijd het gevoel dat ik naar mijn werk ging: altijd weer dezelfde omgeving, de strakke discipline. Wat ik wilde was weg van kantoor.

Als het er beter weer was, zou ik in Yorkshire zijn blijven wonen. Maar nu ben ik in 2009 naar Monaco verhuisd, waar ik iedere dag minstens duizend meter klim en waar het weer een stuk betrouwbaarder is dan in Engeland. De heuvels rond de Côte d'Azur zijn veel hoger en vergen langduriger inspanningen. Ze hebben me gemaakt tot de renster die ik nu ben; ze hebben me in staat gesteld kracht op te doen en ik koester ze als onderdeel van de weg die ik heb afgelegd.

De Col de Braus is mijn favoriet, een berg die ik regelmatig beklim om mijn vorm te testen. De Braus loopt geleidelijk omhoog, is nergens te steil, en nabij de top heb je een paar mooie lange haarspeldbochten. Als je daar over je schouder naar beneden kijkt, zie je de renners die je eerder hebt ingehaald ver beneden je. Dat ze kleine stipjes lijken geeft moraal. Op de top staat een monument voor René Vietto, een Franse coureur die voor zijn deelname aan de Tour de France van 1934 nog totaal onbekend was. Hij was zo goed in de bergen dat hij bekend werd als de 'puurste klimmer' die Frankrijk ooit had gekend.

In mijn eerste seizoen als professioneel wielrenster, in 2009, reed ik de Giro Rosa (toen nog Giro Donne geheten) en slaagde erin de witte trui van het jongerenklassement te bemachtigen. Het was de derde etappe, die 106 kilometer lang was en onder andere de beklimming van de Monte Serra in Toscane omvatte. Ik was in een concurrentiestrijd verwikkeld met Elena Berlato, een Italiaanse lichtgewicht die tien kilo lichter was en net als ik op de witte trui aasde.

Onder aan de klim slingerde de weg tussen de bomen door naar boven. Het eerste stuk bestond afwisselend uit steilere en vlakkere stukken. Elena leek goede benen te hebben; bij elk steil stuk voerde ze de druk op en probeerde ze me te lossen. Ik had het erg moeilijk en moest haar achterwiel iedere keer loslaten als het stijgingspercentage opliep. Als de weg dan weer afvlakte, wist ik me weer terug te vechten tot ik de achterkant van haar fietsbroek weer vlak voor me zag.

Puur op karakter, op 'grinta', wist ik al haar aanvallen te pareren en me steeds weer terug te knokken. Ze had me eigenlijk moeten lossen, maar ik vond ergens een innerlijke kracht die me in staat stelde mezelf keer op keer te overwinnen. Uiteindelijk ging het niet meer om fysieke vermogens, maar werd het puur een mentale strijd; ik kon die dag gewoon meer pijn lijden dan anders. Ongeveer drie kilometer onder de top keken we elkaar aan en knikte ik naar haar op een wijze die een wapenstilstand suggereerde. De weg liep inmiddels iets minder steil omhoog en zij besefte dat ze niet meer van me af zou komen (ik was al zo vaak teruggekomen), dus reden we samen naar de top. Nadat we over de streep waren gekomen omhelsden we elkaar, zoals alleen vrouwen dat kunnen, en sindsdien zijn we altijd vriendinnen gebleven.

In een etappekoers sta je altijd onder druk, vooral als je een positie in het algemeen klassement of een trui te verdedigen hebt, en neemt de stress met de dag toe. De druk is cumulatief, bouwt zich alsmaar verder op. Je voelt hem tijdens de koers en ook als de etappe is gefinisht blijft hij aanwezig.

Tijdens de Giro Rosa van 2015 had ik hele andere ervaringen. Aan het begin van de ronde was het één dag bloedheet en verloor ik in het algemeen klassement veel tijd (ik fiets nooit goed in de hitte). Opeens viel de prestatiedruk goeddeels weg, omdat ik wist dat ik toch geen kans meer maakte op een goede klassering in het eindklassement. Ik voelde me vrij om te koersen zoals ik wilde. Er kwam een gevoel van vrijheid over me heen dat was geworteld in het besef dat ik risico's kon nemen en me kon permitteren diep in het rood te gaan als ik dat wilde. Als ik zou ontploffen, had dat verder geen consequenties.

In de bergen kunnen juist de kortere etappes het gevaarlijkst zijn omdat er dan altijd wel renners zijn die het willen proberen en in de aanval gaan. In 2015 reed mijn ploeggenote Megan Guarnier in de roze trui. De zevende etappe, de koninginnenrit, telde meerdere zware beklimmingen (de Naso di Gatto en de Melogona), maar was niet al te lang, dus het lag voor de hand dat er veel zou worden aangevallen.

Ik vormde geen bedreiging voor het algemeen klassement, dus mijn ploegleider gaf me de opdracht met een vroege ontsnapping mee te gaan. Het idee was een flink gat te slaan om dan later in de etappe, als de groep met de klassementsrijdsters ons had ingehaald, Megan bij te staan. Toen we inderdaad werden teruggepakt, was het mijn taak ervoor te zorgen dat Megan de roze trui behield. Maar zij had het die dag moeilijk – er waren voortdurend uitbraakpogingen, links, rechts en door het midden – en het ging erom spannen. Mara Abbott, die de Giro al twee keer had gewonnen, was erop gebrand nog wat tijd terug te winnen voor de laatste etappe, die eindigde met een dertien kilometer lange klim naar San Domenico di Varzo.

Abbott voerde de druk steeds verder op en Megan begon in de groep weg te zakken. Ik werkte me voor haar uit de naad, bracht haar keer op keer terug naar voren en kwam daarbij herhaaldelijk in de rode zone, ging tot de limiet. Iedere keer als ik dacht dat het nu wel voorbij zou zijn, vielen ze opnieuw aan en moest ik Megan weer terugbrengen. Dit gebeurde vier of vijf keer en iedere keer kostte het me meer moeite haar terug te brengen. Uiteindelijk haalden we het tot de top en zat Megan nog steeds in kansrijke positie. De afdaling verliep goed en Megan behield haar trui. Al met al was het weer een goede werkdag.

Passo Gardena: de weg die naar de Sella voert.

Passo del Mortirolo, ook bekend als de Passo della Foppa.

Passo del Mortirolo: met stijgingspercentages oplopend tot 18 procent is dit een van de meest gerespecteerde beklimmingen in de Italiaanse Alpen.

Passo di Gavia
2.652 m

Allan Peiper

'Trek alles aan wat je hebt. Hier regent het, maar op de Gavia wordt een sneeuwstorm verwacht,' zei Urs Freuler. De Zwitserse sprinter was mijn kamergenoot en het was de ochtend van de etappe van Valmalenco naar Bormio. Ik had de regen nog nooit met zulke bakken uit de lucht zien vallen. Ons hotel lag op 1.500 meter, dus Urs probeerde me te waarschuwen voor wat ons hogerop te wachten stond.

Ik trok lichaamsbedekkende thermokleding aan, een thermojack en dikke wollen handschoenen. Onder in mijn regenzak had ik een bivakmuts verstopt, voor 'het geval dat', voor die situaties waarvan ze zeggen dat ze nooit voorkomen. Ik nam de muts eruit en stopte hem stiekem in de achterzak van mijn trui. Ik voelde me opgelaten en wilde niet dat iemand het zag. Terugkijkend was dat een van de beste beslissingen die ik die dag heb genomen.

Na de start, beneden in het dal, hadden we het veel te heet. Ik droeg vele lagen kleding en zweette als een rund. Maar toen we aan de Gavia begonnen, werden we overspoeld door een muur van water. Eerst regen, toen natte sneeuw, en daarna dikke, zware sneeuw. Ik reed achterin, als honderdvijftigste renner van de honderdzestig die waren gestart.

Toen de klim echt begon werd ik verrast door de vrieskou, die voelde als een klap in mijn gezicht. Ik schakelde terug naar mijn laagste versnelling om mijn hartslag te verhogen en warm te worden, maar hoe hoger we kwamen des te erger het werd. De weg was bedekt met een modderige sneeuwbrij, en een groot deel van de klim was onverhard. Sommige jongens liepen met de fiets aan de hand, andere stonden huilend langs de kant van de weg. De motorrijders konden hun machine niet meer recht houden en gingen

onderuit. Als zij hier al niet doorheen kwamen, hoe zouden wij dat dan moeten kunnen? Het was erbarmelijk, rampzalig.

Als je klimt gaan je gedachten met je aan de haal. Meestal speelden er dan oude liedjes in mijn hoofd of er kwamen oude herinneringen boven, maar wat er op die dag bij me boven kwam, kwam uit de krochten van mijn ziel.

Halverwege de klim had een groepje Italiaanse supporters een vuur aangestoken in een olievat. We stopten en verwarmden onze handen. Ik verwisselde mijn doordrenkte handschoenen voor een paar groene legerexemplaren en stapte weer op de fiets. Ik finishte die dag als achtendertigste. Het was een van mijn beste prestaties ooit in de bergen. Ze noemden het 'de dag waarop sterke mannen huilden'.

De hellingen van de Passo di Gavia zijn bedekt met sneeuw.

Passo di Gavia: sneeuwploegen werken hard om de weg open te houden.

Passo dello Spluga / Splügenpass: de pas op de grens tussen Italië en Zwitserland werd al in de tijd van de Romeinen gebruikt. De naam betekent naar verluidt 'uitkijk'.

Passo dello Spluga / Splügenpass: de klim langs de zuidkant biedt spectaculaire uitzichten op het dorp
Pianazzo en de waterval.

Passo dello Spluga / Splügenpass: de Montesplugadam bij het gehucht Stuetta werd gebouwd in 1931.

Passo dello Spluga / Splügenpass: in het westen ligt een tweede dam.

Mijn mooiste dag
Andy Hampsten

Ik was dat jaar behoorlijk goed in vorm, maar in het voorjaar werd ik altijd wel een keer ziek, dus vertrok ik naar de Giro van 1988 om er 'op jacht' te gaan. Wie weet kon ik de ronde winnen en zo niet, dan wilde ik zoveel mogelijk etappes proberen te pakken. Er waren veel bergetappes, waarvan die met de Gavia het meest in het oog sprong. Die etappe was kort, maar soms zijn juist de korte etappes het zwaarst.

Twee dagen daarvoor had ik in Stelvino nog een etappe met finish bergop gewonnen, dus ik wist dat ik in vorm was. Ik stond bij de eersten in het algemeen klassement, dus voorlopig ging alles volgens plan. Ik had de Gavia nog nooit gereden, maar mijn teamarts, Massimo Testa, was een kind van de streek en gaf me een vrij nauwkeurige beschrijving. Het is een zware col, grotendeels onverhard, met een regelmatige opeenvolging van bochten. Na de top volgt een uitgesproken grillige afdaling naar de finish.

Op de ochtend van de etappe zag ik vanuit mijn hotelkamer dat het sneeuwde. Ik was daar niet blij mee, maar was wel opgegroeid in een extreem koud klimaat, in North Dakota. Ik liet me dus niet zo gauw door het weer van de wijs brengen. Ik nam me voor op de klim aan te vallen, op ongeveer 95 procent van mijn vermogen te rijden en genoeg over te houden voor de afdaling van 25 kilometer naar Bormio.

De aanloop naar de klim was afschuwelijk. Er viel natte sneeuw die overging in ijzel, en iedereen was doodsbenauwd. Ik ook. Ik herinner me een gesprek met Bob Roll op het vals plat tussen de afdaling van de eerste beklimming, de Aprica, en de voet van de Gavia. Ik zei tegen hem: 'Dit wordt waarschijnlijk de zwaarste dag van ons leven op de fiets.' Mijn ploegmaten brachten me onophoudelijk warme, zoete thee vanuit de ploegwagen. Onze ploegleider, Mike Neel, was nerveus en wilde weten hoe ik eraan toe was. Hij vroeg of ik 'mijn mouwen had opgestroopt'.

Zo'n tien kilometer voor de klim zei ik tegen mezelf dat het afgelopen moest zijn met dat zelfmedelijden. Zoals klimmers altijd doen, observeerde ik mijn concurrenten: Franco Chioccioli, die in de leiderstrui reed, Erik Breukink, Urs Zimmermann en Flavio Giupponi. Het leek wel een dodenmars: ze zagen eruit als spoken. Er viel steeds meer sneeuw en iedereen was bang, maar vervelend genoeg voor de anderen stimuleerde me dat juist om door te duwen: 'Ik ben profrenner…', zei ik tegen mezelf.

Ik trok mijn beenwarmers en overschoenen uit en bracht het bundeltje doorweekte kleding terug naar de ploegwagen. Meer hoefde mijn assistent-ploegleider, Jim Ochowicz, niet te weten. Ik hield mijn rode ondershirt aan, met lange, superdunne mouwen, met daarover de blauwe wollen trui van het combinatieklassement en een paar neopreen duikhandschoenen, maar niets op mijn hoofd. Ik had het ijskoud, maar het uittrekken van mijn overkleding was psychologisch en bedoeld als boodschap voor mijn tegenstanders: ik was gemotiveerd.

Mijn ploeg was slim en had voor alle renners musettes met droge kleren klaarliggen. Ook de *soigneurs* kregen thermosflessen met warme thee. Voor de start had iemand het kleine restaurant in de *rifugio* op de top van de Gavia gebeld om naar het weer te vragen. 'Er staat hier een sneeuwstorm', hadden ze gezegd. 'En op de afdaling is het nog veel erger.'

Ik ging er nog steeds vanuit dat ik de wedstrijd niet in de klim, maar in de afdaling zou beslissen, dus hield ik mijn eigen handschoenen aan, die extra dun waren. In de afdaling viel waarschijnlijk veel meer winst te pakken dan in de klim, dus het was belangrijk dat ik bij het dalen in staat zou zijn mijn handen te gebruiken.

Op de laatste paar kilometer na was de weg naar de top in die tijd nog grotendeels onverhard en in wezen nauwelijks meer dan een pad, wat een voordeel was. We reden over een sneeuwbrij, een zachte ondergrond die meer grip gaf dan asfalt. Voor een racefiets was het niet gevaarlijk.

Even werd de mogelijkheid besproken om een verbond te sluiten met de andere teams, maar het bleef bij praten. Mijn team, 7-Eleven, zat vooraan, en vanuit het peloton riep iemand: 'Hey Andy, je gaat toch zeker niet aanvallen hè?' Plotseling schoot het stijgingspercentage omhoog naar 14%, het wegdek veranderde in zand en sneeuw, en daar ging ik. Ik reed weg op mijn 39x25 en al mijn rivalen zagen me gaan.

Eén voor één pakte ik de voorop rijdende renners terug. Ik voelde me opgewonden en dacht dat dit de dag zou kunnen worden dat ik de leiding in het algemeen klassement zou overnemen. Op vijf kilometer voor de top kreeg ik mijn muts en nekwarmer uit de ploegwagen. Wat begonnen was als natte sneeuw en ijzel was nu veranderd in dikke, zware sneeuw. Mijn haar was kletsnat en begon te bevriezen. Ik wilde het drogen voordat ik mijn nekwarmer omdeed. Toen ik door mijn haar woelde veegde ik een sneeuwbal van mijn hoofd af. Hij rolde langs mijn rug naar beneden en bleef een harde, compacte bal van ijs. Ik was zo sterk afgekoeld dat mijn lichaam niet meer in staat was om sneeuw te smelten. Gelukkig droeg ik een Oakley Pilots zonnebril die bijna mijn hele gezicht bedekte, zodat er behalve mijn blote benen nauwelijks een stuk van mijn huid zichtbaar was.

Op dat moment begon ik de situatie opnieuw in te schatten en vroeg ik me af of het wel een goed idee was geweest zo vroeg in de klim aan te vallen. Er reed een motor langs die op een krijtbord de tijdsverschillen liet zien; sommige jongens lagen al twee of drie minuten op me achter, dus de aanval werkte.

Vlak voor de top nam ik van de soigneur een bidon met warme thee aan en haalde ik een plastic regenjack uit mijn musette. Maar omdat het voor een renner wel slim, maar niet cool is om te stoppen om zijn jack aan te trekken, zwalkte ik verder over het glibberige wegdek en verspilde ik veel tijd. Tegen de tijd dat ik mijn jack aan had, had ik 43 seconden verloren en had Erik Breukink me ingehaald.

Toen hij aan de afdaling begon, besloot ik zijn spoor te volgen. Als hij over het randje ging, zou ik gewoon de andere kant op sturen! Maar hij daalde erg langzaam, dus ging ik hem voorbij. Het was griezelig om alleen af te dalen. Er was geen wedstrijdauto, geen volgwagen en er waren geen motoren. Inmiddels was alles om me heen wit geworden, en het zicht was teruggelopen tot twintig of dertig meter. Plotseling dook uit het niets een mecanicien van Carrera op die een paar reservewielen droeg. Ik herinner me dat hij zo'n mooie waterdichte broek en jack droeg van hun sponsor, Gore-Tex. Maar hij liep midden op de weg, vloekend en tierend. Hij dacht dat de etappe was geannuleerd en dat hij was achtergelaten. Ik moest scherp uitwijken om niet tegen hem aan te botsen. Ik hoorde zijn schreeuw voorbij schieten als een passerende trein en richtte me weer op de afdaling.

Ik had nu nog maar één versnelling (de rest was bevroren), en mijn schenen waren bedekt met een laagje ijs, maar wist dat klagen, schreeuwen en God om hulp vragen niet zou helpen. Ik moest gewoon Santa Caterina halen en dan nog dertien kilometer tot de finish. Met nog acht kilometer te gaan haalde Breukink me in. Hij moest de hele tijd vlak achter me hebben gezeten. Ik kon zijn wiel niet houden en de gedachten schoten in razend tempo door mijn hoofd: 'Is het beter om de remmen dicht te knijpen en met 15 kilometer per uur van deze berg af te dalen, of is het verantwoord op dit rechte stuk afdaling van 8% 60 tot 80 kilometer per uur te rijden en onderkoeling te riskeren?'

Breukink won met zeven seconden voorsprong, maar die dag was mijn mooiste dag ooit als sporter. Het was een ervaring die ik nauwelijks kan beschrijven, hoe zwaar het was en hoe ik heb afgezien als nooit tevoren.

Andy Hampsten fietst onder verschrikkelijke omstandigheden naar zijn overwinning in de Giro van 1988.

Grimselpass: de weg slingert vanaf de bodem van het dal naar boven.

Oostenrijkse & Zwitserse Alpen

Grossglockner	*2.571 m*
Ötztaler Gletscherstraße	*2.830 m*
Timmelsjoch	*2.509 m*
Furkapass	*2.436 m*
Nufenenpass / Passo della Novena	*2.478 m*
Gotthardpass	**2.106 m**
Col du Sanetsch / Sanetschpass	*2.251 m*
Große Scheidegg	*1.962 m*
Grimselpass	*2.165 m*

Met bijdragen van
Tao Geoghegan Hart, Bernie Eisel, Geraint Thomas en Simon Gerrans

Grossglockner: haarspeldbocht of Kehre nummer drie; in totaal omvat de klim 36 haarspeldbochten (de bochten zijn van boven naar beneden genummerd).

Grossglockner: de Pasterze-gletsjer en het bezoekerscentrum.

Grossglockner: de ruige schoonheid van het Hohe Tauern bergmassief.

Grossglockner: door zijn geografische ligging wordt de klim zelden opgenomen in het traject van grote wielerwedstrijden, op de Ronde van Oostenrijk na.

Ötztaler Gletscherstraße: Rettenbachgletsjer en skistation.

Ötztaler Gletscherstraße: langs het dal van de Rettenbach omlaag kijkend naar Sölden.

Ötztaler Gletscherstraße: Jan Ullrich beschreef de 13 kilometer lange klim met een gemiddelde stijging van 10,5 procent als 'dierenmishandeling'.

Ötztaler Gletscherstraße: met 2.830 meter de op één na hoogste geplaveide weg in Oostenrijk.

Timmelsjoch: de laatste klim voor de deelnemers aan de Ötztaler Radmarathon.

Timmelsjoch: aan de Italiaanse kant door Mussolini als Passo Rombo gedoopt.

Timmelsjoch: boomkunst op de top.

Timmelsjoch: de weg omlaag naar Sölden.

Furkapass: Hotel Belvédère, ooit een van de meest iconische hotels in de Zwitserse Alpen.

Furkapass: de weg passeert de Rhônegletsjer op nog geen 200 meter.

Het horloge
Tao Geoghegan Hart

Ik heb ooit een renner gekend die zweerde dat hij zijn contract puur en alleen te danken had aan het feit dat hij tijdens de koers nooit een zonnebril droeg. Zijn nieuwe baas, zo speculeerde hij, herkende zijn gezicht tussen de vele andere. Dat was genoeg.

Voor de tiende keer in even zovele minuten kijk ik op mijn horloge. De ronde wijzerplaat lijkt reusachtig bij mijn dunne polsen, de wijzers vertragen tot een kruiptempo. Terwijl ik de secondes voorbij zie tikken, voel ik me trots op die polsen, dun en gebruind. Wat een geluk eigenlijk, want iedere dag zit ik er uren naar te turen, witte knokkels onder in de beugel.

De mecanicien buiten lijkt iedere keer als ik mijn ogen sluit zijn moersleutel te laten vallen, wat steeds weer gepaard gaat met een nieuwe reeks buitenlandse krachttermen. Ik probeer een beetje te slapen, liggend op de achterbank van ons ploegbusje. Maar als de zon in mijn gezicht begint te schijnen en de geluiden van buiten steeds luider tot mijn hoofd doordringen, sta ik maar op en sjok weg op zoek naar cafeïne, net als op de meeste ochtenden.

In een opening tussen twee verlaten gebouwen groeien klimplanten van de ene muur naar de andere. Ze hangen lui in de zondagse ochtendzon. Onkruid schiet hoog en krachtig op tussen de bemoste straatstenen, elk plantje vechtend voor zijn eigen straaltje zonlicht tussen het dichte gebladerte. Het lijkt een goed leventje: alle planten respecteren elkaars behoefte aan licht. Een stille, verstilde chaos. Iets waar ik weinig verstand van heb.

En dan zie ik hoe zich tussen het gebladerte door een muur van duisternis aftekent tegen de hemel: de bergen, het amfitheater van mijn

dromen. Even laat ik me imponeren door hun grootsheid, wordt mijn geest langs slingerend asfalt mee omhoog gevoerd, de ijle lucht in. Daar liggen de wegen die al maanden in mijn hoofd zitten, me iedere ochtend mijn bed uit sleurden, vanuit de veilige haven van mijn warme woning de kou in, ook als de regen de ramen geselde. En dan laat ik mijn blik naar de stoeptegels zakken en loop door. Ik durf niet meer stil te blijven staan bij wat komen gaat. Al maanden droom ik hiervan, en nu liggen ze hier vlak voor me en staren me aan.

Uiteindelijk vind ik waarnaar ik op zoek was, in een klein dorpshuis. De koffie ruikt verbrand en wordt me in een wit plastic bekertje aangereikt door een oude vrouw met vriendelijke ogen. Misschien heeft ze al medelijden, beseft ze welke pijn de komende middag gaat brengen? Ik pak het kopje aan, neem een klein stukje brioche en loop weer terug naar de ploegwagen. Al lopend doop ik de cake diep in het bekertje, op zoek naar troost en huiselijke warmte in de zwarte vloeistof. Even vergeet ik de realiteit van de dag die voor me ligt, vergeet ik het gewicht van mijn dromen en de intensiteit van die bergen.

Nog een paar rondjes van de grote wijzer en ik sta opgesteld voor de startstreep – een van de vele nerveuze gezichten, waarvan sommige leeg voor zich uit staren en andere nerveus lachend een praatje proberen aan te knopen. Het galmende geluid van de omroeper zingt rond over het plein met zijn curieuze kinderkopjes. Ellebogen stoten, schouders botsen, de omroeper laat het volume en de intensiteit van zijn stem stijgen en de dag begint.

De koers is als een waas. Mijn hoofd is alleen maar bezig met wat in het vooruitzicht ligt,

maar mijn blik is strak op het heden gericht, op het achterwiel voor mij. Iedere beweging, iedere ademhaling is afgemeten, weloverwogen. De finale staat in mijn gedachten onevenredig groot aan de horizon. En dat kost energie, ik voel het, aan mijn hartslag, aan mijn benen. Het is als het moment vlak voor je eerste afspraakje, maar dan steeds opnieuw, uren achtereen.

En dan is hij er opeens. Nog tien kilometer te gaan. Ik kijk omhoog langs de slingerende weg die in de verte in de wolken verdwijnt en mijn maag draait zich om. Het lijkt onmogelijk. Ik word geacht prof te zijn; er zijn toeschouwers toegestroomd die spektakel verwachten, willen zien hoe wij renners deze col bedwingen – en ik weet niet eens of ik de top wel zal halen.

Het stijgingspercentage hakt er meteen in. De pijn van het komende uur nestelt zich in mijn benen en maakt zich meester van mijn longen, perst er alle lucht uit en het restje hoop dat nog in me zat. Het geluid van het publiek gonst door mijn hoofd, mijn ogen, die prikken van het zout, blijven gefocust op het wiel voor me, gefixeerd op het heden.

Ik begin na te denken over mijn reis hierheen, naar dit land, mijn bizarre loopbaan: hoe de taxichauffeur op de een of andere manier het adres wist te vinden dat ik op de achterkant van een van mijn moeders bruine enveloppen had gekrabbeld, de verschrikkelijke hospita, hoe ik mijn bagage vier trappen op sleepte en me uiteindelijk uitgeput op het bed liet neerploffen. Het was laat en ik was de hele dag onderweg geweest, maar toen ik daar lag en nadacht over de gebeurtenissen van die dag, viel mijn oog op de boekenplank tegenover me. Die was leeg. Thuis leek nooit zo ver weg als op dat moment.

En nu, terwijl ik klim, lijkt het nog verder weg. Ik denk aan de vlakke, stille lanen waartussen ik opgroeide, een miljoen kilometer van deze verdwaasde berg. Als eenling tussen de andere haringen in de ton ben ik slechts een van de vele gezichten in de massa. Ik weet hoe ik aan de hand van deze ene dag op dit asfalt beoordeeld zal worden, hoe mijn karakter, mijn toekomst bepaald zullen worden door mijn prestaties op deze berg. Maar wat me werkelijk naar de top drijft, zijn dezelfde gevoelens die me die eerste nacht in die slaapkamer overvielen. De boekenplank die naar me terug staarde. En dus dwing ik mezelf voorbij het punt waar ik zou moeten opgeven, gewoon zou moeten ophouden met trappen, afstappen en weglopen.

Het stijgingspercentage loopt op, vlakt af voor een bocht en vliegt dan weer omhoog. Een berg is evenzeer een mentale als een lichamelijke aanslag. Ik weet waar de top ligt: bij 212,3 kilometer; dat getal staat al weken in mijn gedachten gebeiteld. Maar toch smeek ik bij iedere bocht, bij iedere valse top, dat ik de finish in zicht zal krijgen. Ik weet dat dat niet zo is, maar houd me vast aan de hoop dat hij toch verschijnt. Het is een meedogenloos uur, en ik weet zeker dat als ik nu het horloge kon zien, de wijzers stil zouden staan.

Wat gedurende die zestig minuten keer op keer wordt opgeroepen uit de diepste krochten van mijn geest is een gevoel van eenzaamheid, de drang mezelf tegenover alles en iedereen te bewijzen, een gevoel van koppig verzet. En dat gevoel drijft me, terwijl ik voortdurend naar adem hap, nader tot de top, nader tot mijn dromen, nader tot waar ik denk te behoren.

Furkapass, een dun laagje poedersneeuw in de hoogste regionen kondigt de winter aan.

Nufenenpass: deze pas staat in Italië bekend als de Passo della Novena.

Nufenenpass: de eerste sneeuw kondigt de komst van de winter aan.

Gotthardpass

2.106 m

Bernie Eisel

De Gotthard is een van de mooiste beklimmingen van Europa. Hij is vooral zo bijzonder omdat de haarspeldbochten nog steeds zijn geplaveid met straatkeien. Het moet ongelooflijk veel moeite hebben gekost deze weg aan te leggen: ze gebruikten dynamiet en groeven met hun handen in de aarde. Ik heb me al dikwijls afgevraagd waarom men ooit heeft besloten daar een weg aan te leggen.

Ik heb de Gotthard al vele malen beklommen – in de regen, in de sneeuw, in de mist – maar ik ben geen klimmer, dus ik ben altijd nerveus als er, zoals in de Ronde van Zwitserland, een etappe op het programma staat die begint met een lange, hoge en zware klim als deze. De Gotthard is zwaar omdat de etappe meestal begint in Bellinzona, aan de voet van de klim, en er maar weinig tijd is om op stoom te komen alvorens aan de zware klim te beginnen. Het peloton fietst met 45 tot 50 kilometer per uur, en dan boem, beginnen opeens de straatkeien; de omschakeling komt als een schok. Maar wij sprinters hebben een geheime tactiek: we proberen altijd de weg te blokkeren zodat de klimmers niet al vanaf het begin kunnen aanvallen. Alles om het tijdsverlies zo klein mogelijk te houden, al lukt dat maar zelden.

De top van de Gotthardpass ligt op 2.106 meter en naarmate je hoger komt wordt de hoogte zelf ook een tegenstander. Als sprinter probeer je vooraan te beginnen en dan zo langzaam moge-

lijk naar achteren weg te zakken. Het doel is het contact met de groep, of in elk geval met de volgauto's achter de groep, niet te verliezen. Als je ook de volgauto's moet laten gaan, zul je het moeilijk krijgen, heel moeilijk.

Als je eenmaal bij de haarspeldbochten vlak onder de top bent aangekomen, is de kans groot dat je slecht weer ziet naderen. Er is geen tijd om van het uitzicht te genieten, maar je hebt wel een minuutje of zo om nog snel een regenjasje aan te trekken alvorens aan de afdaling te beginnen.

De eerste paar bochten van de afdaling moet je bijna altijd blind nemen. Het is daarboven meestal zo mistig dat het wel donker lijkt, ook al is het overdag. Daar komt nog bij dat je bril er gewoonlijk beslaat. In de afdaling moet je proberen iets van de verloren tijd goed te maken, en dat betekent dat de adrenalinekraan vol open gaat. Soms zie je langs de kant van de weg renners die te veel risico hebben genomen en in de muren van sneeuw langs de weg zijn verdwenen. Geen al te zachte landing, maar wel een grappig gezicht!

Geraint Thomas

Het was de derde etappe van de Ronde van Zwitserland van 2015, de grote bergetappe, en de Gotthard was de eerste klim. Etappekoersen worden vaak beslist in het hooggebergte: tijdens bergetappes kun je veel tijd terugwinnen of verlie-

zen, dus ik was zenuwachtig. Toen ik net beroepsrenner was, reed ik ook nog op de baan. Ik was zwaarder en zag altijd als een huis op tegen de bergen; een klimmetje van 3 kilometer kon me al de stuipen op het lijf jagen. Intussen ben ik veel lichter en kijk ik uit naar beklimmingen.

De beklimming van de Gotthard kwam al op 10 kilometer van de start, vlak na de geneutraliseerde zone. We reden over een lange rechte weg en ik zat vlak op de bumper van de auto van de wedstrijdcommissaris, wat achteraf gezien niet zo slim was. Hij bleek nooit eerder in een auto met automatische versnelling te hebben gereden en trapte, in de veronderstelling het koppelingspedaal in te trappen, keihard op de rem. Vier of vijf renners knalden achter op zijn auto en gingen onderuit.

Geen geweldig begin van een bergetappe. We hadden het peloton al snel weer bijgehaald, maar toen we de Gotthard opreden, zag ik tot mijn schrik dat die met straatkeien was geplaveid; dat had niemand me verteld, zelfs tijdens de koersbriefing die ochtend niet. Het wegoppervlak was weliswaar niet zo moordend als de kasseien in België, maar het was een surreële ervaring om daar op een smalle, kronkelende klim met de ene haarspeldbocht na de andere over straatkeien te rijden, waarbij je fiets alle kanten op slingerde. Toen we eenmaal 19 kilometer van de etappe hadden afgelegd, bereikten we de top. De klim zat erop.

Ik weet nu waar de Gotthard beroemd om is.

Gotthardpass: de route over de pas omvat een serie tunnels voor het weg- en spoorwegverkeer. De meest recente daarvan, aangelegd in 2016, is de langste en diepste spoorwegtunnel ter wereld.

Gotthardpass: de nieuwe weg en de tunnel.

Gotthardpass: uitzicht vanaf de top in de richting van het Lago della Sella.

Gotthardpass: de Teufelsbrücke (Duivelsbrug), een oeroude natuurstenen brug over de Schöllenenkloof.

Gotthardpass: de bovenste brug leidt naar de eerste verkeerstunnel die ooit in de Alpen werd aangelegd en die bekendstaat als het Urnerloch.

De kunst van de bergen
Bernie Eisel

Moeder natuur kan je op de top van een tweeduizend meter hoge berg met verpletterende kracht raken. Het is echt moeilijk om op die hoogte op racesnelheid te fietsen. Als je als renner in een groepje naar boven ploetert, voel je je nietig: de bergen zijn de echte machthebbers. De bergen stralen een macht uit die tot nederigheid noopt.

Tijdens bergetappes probeer ik 'de bus' bij elkaar te houden, een taak waar de nodige psychologie bij komt kijken. Renners in de *gruppetto* kunnen het vreselijk zwaar krijgen: ze zijn uitgeput en lijden pijn, en dat gaat 'tussen de oren' zitten. Alles gaat te snel en ze raken geobsedeerd door het tempo van de groep. Zelfs de meest relaxte jongens kunnen dan over de rooie gaan.

Maar het gekke is dat ze, als je over de top of de finish van de etappe bent gekomen en denkt: goddank, dat hebben we ook weer gehad, naar je toe komen om je te bedanken voor het bij elkaar houden van de groep. Het is in de loop der jaren mijn inofficiële taak geworden en de buspassagiers zijn op mij gaan rekenen. Het gebeurt niet vaak dat we buiten de tijdslimiet binnenkomen.

Tegenwoordig zeggen de *directeurs sportifs* tegen hun jonge renners: 'Blijf maar bij hem, dan weet je zeker dat je op tijd binnen bent.' Als je in je eerste grote rondes een grote bergetappe voor je kiezen krijgt, heb je vaak geen idee hoe je het moet redden tot de finish. Maar het is geen hogere wetenschap; uiteindelijk moet je toch gewoon de pedalen blijven ronddraaien.

Maar er zijn ook andere factoren – tactiek, manieren om tijd terug te winnen – en in dat opzicht is rijden in de bergen ook een kwestie van ervaring. Voor amateurfietsers zal het misschien niet gelden, maar als het regent kun je bergaf meer tijd goedmaken dan bergop.

Een deel is voorspelbaar. Door voor de etappe de routekaart goed te bestuderen kun je redelijk voorspellen waar je minuten zult verliezen en waar je tijd kunt goedmaken. Uit ervaring weet ik dat je ongeveer 80 procent van wat er zal gebeuren kunt voorspellen, de overige 20 procent liggen buiten je invloedssfeer: valpartijen, spontane tactische beslissingen binnen ploegen, het weer. Maar als je continu blijft doortrappen, moet je het normaal gesproken uiteindelijk halen.

Dat gezegd hebbende zijn er wel een paar regels. Iedereen moet op het vlakke zijn beurt doen op kop. Als iemand zijn beurt verzaakt, weet je dat hij het moeilijk heeft, maar het is voor niemand gemakkelijk. Als je als renner iemand anders nodig hebt om je door heel Frankrijk heen te sleuren, kun je beter een fietsvakantie boeken.

Afdalen is een van de beste dingen van het rennersbestaan. Toen ik jonger was, nam ik meer risico's, maar nu compenseer ik dat met ervaring. Volgens mij heb ik bijna alle afdalingen in Europa wel een keer gefietst en van de meeste daarvan heb ik een duidelijk beeld in mijn hoofd. Ik ken de lastige stukken, de scherpe bochten, weet waar de verrassingen zitten, waar ik iets eerder in de remmen moet. Niettemin zul je in Italië of Spanje vaak geen idee hebben wat je om de volgende bocht te wachten staat.

Als je een bocht zonder vangrail ziet, kun je ervan uitgaan dat het weliswaar pijn zal doen als je over de rand gaat, maar dat je waarschijnlijk niet van een klif of in een afgrond zult storten. In een van de grote rondes vloog ik ooit de bocht uit en belandde op een koeienpaadje om vervolgens over een hellende alpenweide naar beneden te stuiteren, tot ik met mijn voorwiel in een groot gat kwam en over de kop vloog. Ik stond op en zat onder de modder en de koeienstront. Die val zal ik nooit vergeten.

Als er wel een vangrail is en je gaat te hard, is het zaak je fiets plat te leggen voordat je de vangrail raakt. Als je over de rail heen schiet, kan dat levensgevaarlijk zijn. Mogelijk val je dan zestig of tachtig meter naar beneden. En dat kan slecht aflopen. Daarom moet je proberen te vallen voor je de rail raakt. Je breekt dan misschien een paar botten, maar je leeft dan tenminste nog en ligt niet op de bodem van een ravijn. Dit is waardevolle kennis, maar eigenlijk mag het nooit zover komen.

Door het rijden van lange bergetappes ontstaan sterke, langdurige vriendschappen; dat was tenminste zo bij Cav [Mark Cavendish] en mij. In het jaar dat ik bij Team Sky bleef en hij overstapte naar Quickstep, zei hij dat hij waarschijnlijk nooit meer een grote ronde zou uitrijden. Ik zei hem dat er ook in zijn nieuwe ploeg genoeg renners zaten die hem zouden kunnen helpen zoals ik dat had gedaan, maar ik vermoed dat hij zich bij mij beter op zijn gemak voelde en het idee had dat hij dan zelf niet hoefde na te denken. Mark wist dat hij in de bergen alleen maar bij mij in het wiel hoefde te blijven en dat ik hem dan wel zo veilig en fris mogelijk voor de volgende etappe en de sprints naar de finish zou brengen. Dat was in de loop der jaren de sleutel tot ons succes geworden en had tot een vorm van wederzijds vertrouwen geleid. Tijdens zware bergetappes krijg je een sterke band met je ploeggenoten en wij werden zowaar boezemvrienden. De bergen kunnen zelfs de meest ervaren renners kwetsbaar maken, maar dat brengt je wel nader tot elkaar; je ziet een stukje van iemands ziel.

Gotthardpass: met straatkeien geplaveide haarspeldbochten leiden naar beneden naar Airolo.

Sanetschpass / Col du Sanetsch: de weg vertrekt in het dal van de Rhône en klimt 1.743 meter naar de voet van de Tsanfleurongletsjer.

Sanetschpass / Col du Sanetsch: de pas is per fiets niet helemaal te bereiken, want de weg eindigt aan de noordkant van het Lac de Sanetsch.

Sanetschpass / Col du Sanetsch: het Zwitserse kanton Wallis ligt in het westen van de Berner Alpen.

Sanetschpass / Col du Sanetsch: een klim van 25,9 kilometer met een gemiddelde stijging van 6,7 procent.

Gewiekst
Simon Gerrans

Ik ben opgegroeid op een boerderij in Jamieson, een dorpje ten noordoosten van Melbourne in Australië, en onze buurman was Phil Anderson, de eerste niet-Europeaan die ooit de gele trui in de Tour de France heeft gedragen. Voor mij was Phil gewoon die man van verderop. Hij verdween elke winter en kwam dan goed gebruind terug, maar ik had geen idee dat hij beroepswielrenner was en hij maakte het nooit echt bekend.

Ik deed op regionaal niveau aan motorcross, maar toen ik zestien was had ik al twee knieoperaties achter de rug en zeiden mijn familie en de dokter tegen me dat ik 'de motor aan de kant moest doen en iets anders moest zoeken'. Toen Phil stopte met wielrennen begon hij wat te coachen en hij leende me een racefiets voor mijn revalidatie. Hij is over de 1.80 meter en die fiets was veel te groot voor mij, maar hij zag blijkbaar iets in me want hij nodigde me uit voor een van zijn trainingskampen. Het duurde nog geen twee weken of ik reed honderden kilometers per week, en drie jaar nadat ik met wielrennen was begonnen heb ik mijn koffers gepakt en ben naar Europa vertrokken. Wat me al direct vanaf het begin aan het wielrennen aantrok was een eenvoudige rekensom: hoe harder je werkt, hoe meer je eruit krijgt. Ik heb die rekensom in elke wedstrijd toegepast.

Je krijgt niet veel kansen om een etappe in een Grote Tour te winnen, dus als je maar een glimp van zo'n kans opvangt, moet je die pakken. Ik heb wedstrijden gewonnen, niet doordat ik de beste was, maar door berekening, geslepenheid en perfecte voorbereiding. Ik was ook goed in het lezen van andere renners, ik kende hun sterke en zwakke punten en ik wist hoe ik daarop in moest spelen. Sommige beroepsrenners zijn zo overmoedig

en zeker van zichzelf, maar je moet handig zijn om met zulke jongens te rijden, vooral als je samen in een kopgroep zit. Je moet ze verwennen, een beetje spelen, doen alsof je het zwaarder hebt dan in werkelijkheid.

In de Tour de France van 2008 probeerde ik keer na keer weg te komen uit het peloton maar het lukte me gewoon niet. De vijftiende etappe, van Embrun naar het Italiaanse skioord Prato Nevoso, was de eerste Alpenetappe en hij kwam na de Pyreneeën. Cadel Evans van Silence-Lotto reed in het geel maar het gerucht ging dat Fränk Schleck van CSC op missie was om de leiding over te nemen en er hing spanning in de lucht. De condities aan de start waren vreselijk: door de zware regen was de Col de Larche versperd door vallend gesteente en moest de etappe met 33 kilometer worden ingekort. In de eerste paar kilometers waren er om de haverklap valpartijen, maar na twaalf kilometer gingen Egoi Martínez, Danny Pate en José Luis Arrieta ervandoor.

Ik ging direct in de achtervolging, maar ik kon het gat kilometer na kilometer maar niet dichtrijden; het was een klassiek geval van drie tegen één. Terwijl ik ze najoeg kwam de ex-prof Laurent Jalabert langs op de motor, hij gaf commentaar voor de Franse televisie. Hij stond bekend als een van de dapperste renners ooit en ik weet nog dat ik dacht: 'Ik kan niet opgeven nu Jalabert naar me kijkt.'

Martínez, Pate en Arrieta waren ervaren genoeg om te weten dat ze om weg te blijven en het peloton achter zich te laten een maximale voorsprong moesten hebben aan de voet van de laatste klim. Uiteindelijk namen ze na zestien kilometer in de etappe wat gas terug en kon ik achteraan aansluiten; ik vermoed dat ze hadden bedacht dat

ze met vier renners meer kans maakten dan met drie. Tegen de tijd dat we de voet van de laatste klim bereikten, hadden we een voorsprong van elf minuten op de groep met Schleck en Evans, maar ik had het echt moeilijk. Martínez was een ervaren klimmer – hij had in de Spaanse Vuelta een etappe en het bergklassement gewonnen – en hij viel na acht kilometer klimmen aan. Hij begon als een bezetene te jagen en plaatste enorme versnellingen. Toen kregen Pate en Arrieta het ook op hun heupen en begonnen elkaar aan te vallen, maar het was Arrieta al snel te veel en hij moest afhaken. Ik had het nog steeds niet makkelijk maar ik bleef gewoon doorrijden en probeerde wanhopig uit het rood te blijven. Het was ruim twee kilometer harken om terug te komen bij de voorste renners, maar de aanvallen bleven komen; het was een spel van kat en muis maar het was net alsof ze mij waren vergeten. Mij zagen ze niet als een bedreiging. Met nog drieënhalve kilometer te gaan ging Pate er opnieuw vandoor, toen viel Martínez weer aan maar hij kwam niet ver genoeg en we haalden hem samen bij. Tegen die tijd regende het hard en zaten we alle drie naar elkaar te kijken wie de benen had om te gaan.

Ik kende het parcours niet en wist niet hoe steil de klim naar de finish was, maar ik wist dat ik het als ik de *flamme rouge* haalde [de vlag van een kilometer tot de finish] vol zou kunnen houden tot het eind. Op iets van tweehonderd meter van de finish zag ik mijn kans en ging voor de sprint. Achteraf bezien hadden ze me eraf moeten rijden, maar dat deden ze niet want ik denk dat ze me niet als een kanshebber zagen. Ik wist al die tijd dat ik niet de sterkste renner was – dat was ik zelden – maar ik was waarschijnlijk wel de gewiekste.

Grosse Scheidegg: de enige voertuigen die toegang hebben tot de pas zijn de plaatselijke gele postbussen.

Grosse Scheidegg: bergweiden op de lager gelegen hellingen.

Grosse Scheidegg: de klim wordt gedomineerd door het uitzicht op enkele van de hoogste bergen van Europa,
waaronder de Jungfrau en de noordkant van de Eiger.

Grimselpass: de Grimselsee.

Grimselpass: op een rotspunt die naast de Grimselsee omhoogsteekt ligt een hotel, het Grimsel Hospiz.

Grimselpass: luchtfoto van de twee stuwmeren.

Grimselpass: haarspeldbochten doorsnijden het granieten landschap.

Grimselpass: 100 miljoen kubieke meter water wordt tegengehouden door een betonnen dam.

Tanden
Allan Peiper

Het was waarschijnlijk het meest gênante moment uit mijn carrière. Het gebeurde tijdens een van die zware bergetappes in de Giro d'Italia toen het ijskoud was en heel, heel hard sneeuwde. De dag ervoor waren we over de Marmolada gestuurd en in deze etappe gingen we vanaf de andere kant diezelfde berg over.

In de afdaling was het echt extreem koud. Er was een Colombiaanse renner die letterlijk zat te bibberen op zijn fiets; hij had geen armwarmers en geen jasje. Hij trilde zo hevig dat hij amper nog zijn stuur kon vasthouden, terwijl ik zoveel kleren aanhad dat ik wel een michelinmannetje leek, dus gaf ik hem mijn reservemuts.

Ik liet me afzakken en kon nog net achter in de laatste groep aanpikken toen ik zag dat vooraan twee Panasonicrenners hard op kop reden. Ik herinner me nog dat ik dacht: waar zijn die idioten nu mee bezig? Het was nog maar veertig kilometer tot de finish, dus er was geen enkele reden zo hard op kop te rijden. Toen ik weer keek, zag ik dat ze elkaar vooraan aflosten, dus er moest wel iets aan de hand zijn. Onze kopman, Erik Breukink, zat niet mee in de kopgroep – hij was nog steeds uitgeput van de vorige dag toen hij de man met de hamer was tegengekomen en de koppositie aan Andy Hampsten was kwijtgeraakt – maar het was mijn taak hem weer naar voren te brengen. Ik gaf alles wat ik had om Breukink, die in mijn wiel zat, terug te brengen naar de groep vooraan.

Toen hij weer veilig en wel vooraan had kunnen aansluiten, liet ik me afzakken naar de ploegleiderswagen om een mueslireep te halen, maar net op dat moment gingen ze vooraan weer op de pedalen staan en ging het tempo weer omhoog.

Door de kou was de reep keihard geworden; het kauwen ging zo moeizaam dat ik er buiten adem van raakte. Dan maar geen reep, besloot ik, en spuugde hem uit, maar mijn voortanden gingen mee! Mijn tanden kwijtraken was al sinds mijn jeugd een van mijn ergste angstdromen. Toen ik dertien was had ik bij het voetballen een elleboog in mijn gezicht gekregen en mijn drie voortanden verloren. Er was een gebitsplaatje in mijn mond gezet en die tanden betekenden alles voor me. Onder geen voorwaarde zou ik ze hier op straat achterlaten.

Ik kneep in mijn remmen en maakte rechtsomkeert. Ik reed tegen het verkeer in, twee weghelften vol ploegleiderswagens en politiemotoren die recht op me af kwamen. En toen zag ik ze liggen, mijn tanden, midden op de weg. Ik moest en zou ze terug hebben, maar net op het moment dat ik ze voor het grijpen had, reed, boem, de ploegleiderswagen van Carrera over mijn tanden heen. Ik herinner me nog de paniek die me beving. Ik kon niet zonder mijn tanden. Ik stopte midden op de weg en vroeg me af wat te doen. Een seconde later dook mijn eigen ploegleiderswagen naast me op, maar met zijn neus de andere kant op, in de richting van de finish, waar ik ook naartoe moest. Peter Post, de ploegleider van Panasonic, riep vanuit de auto: 'Wat ben je hier in godsnaam aan het doen?' 'Ik ben mijn tanden kwijt,' fluisterde ik. Hij begon te schreeuwen. 'Hup, op je fiets, terug naar het peloton!' Dus ik keerde om en zette de achtervolging in. Hij leek woedend, maar kennelijk lag de hele auto tot aan de finish in een deuk. De mecanicien hing uit het achterraam en moest zo hard lachen dat de auto ervan schudde. Ik schaamde me dood over wat er gebeurd was. De volgende dag zaten we ingesneeuwd, dus aten we drie maaltijden in ons hotel. We zaten met zijn twintigen aan tafel en iedereen bleef me maar bananen en andere zachte dingen toestoppen. Intussen had de hele ploeg het verhaal gehoord en iedereen vond het vreselijk grappig. Jean-Paul van Poppel kwam niet meer bij van het lachen, maar als hij lachte moest ik ook lachen, waardoor iedereen het gat in mijn mond zag. De serveersters lachten mee, net als uiteindelijk het hele restaurant, inclusief alle andere ploegen, iedereen. Het is waarschijnlijk een van de dingen waar ik het bekendst om ben geworden.

Biografieën renners

Romain Bardet
Romain Bardet maakte in Frankrijk al snel naam bij de junioren en nieuwelingen en werd in 2012 professional. Hij heeft deelgenomen aan veel van de meest prestigieuze wielerwedstrijden, waaronder het Critérium du Dauphiné, Luik-Bastenaken-Luik en de Tour de France en is uitgegroeid tot een van de meest vooraanstaande renners ter wereld. Hij won in drie opeenvolgende jaren (2015-2017) drie etappes in de Tour de France en haalde tweemaal het podium (tweede en derde in het algemeen klassement in resp. 2016 en 2017). Hij staat bekend om zijn klimcapaciteiten en werd in 2019 winnaar van het bergklassement.

Michael Barry
De Canadese wielrenner Michael Barry diende gedurende zijn dertienjarige profcarrière als superknecht (een renner wiens enige taak in de grote rondes erin bestaat mee te rijden en zijn kopman bij te staan). Hij reed in dienst van Mark Cavendish en Sir Bradley Wiggins bij succesvolle wielerploegen als T-Mobile, Columbia-HTC en Team Sky. Barry maakte ook deel uit van Lance Armstrongs ploeg US Postal Service. Hij voltooide zowel de Vuelta a España als de Giro d'Italia vijf keer, maar reed de Tour de France slechts één keer, in 2010, twee jaar voor hij zijn actieve wielercarrière beëindigde.

Ivan Basso
Ivan Basso stopte in 2015 met wielrennen, nadat hij sinds 1998 als professional actief was geweest. De Italiaanse renner reed voor acht professionele wielerploegen, waaronder CSC, Discovery Channel en Tinkoff-Saxo. Basso maakte vooral naam in de Giro d'Italia, die hij twee keer won, in 2006 en 2010. Hij blonk uit in het hooggebergte en won in de loop van zijn carrière zes Giro-etappes. De Tour de France voltooide Basso zeven keer, met als beste prestatie de tweede plaats in het algemeen klassement in 2005.

Lizzie Deignan
Lizzie Deignan (geb. Armitstead) werd geboren in Otley in Yorkshire en begon met wielrennen in het British Cycling Talent Team. Ze begon haar carrière als baanwielrenster en won op de wereldkampioenschappen van 2009 vijf medailles. Na 2009 stapte ze over van de baan naar de weg en ze rijdt momenteel voor het vrouwenteam van Trek-Segafredo. Deignan is geen pure klimmer, maar kan goed uit de voeten op de korte, steile hellingen van de eendaagse klassiekers. In 2015 won ze het wereldkampioenschap op de weg, in 2016 vier van de negen klassiekers en in 2017 de Tour de Yorkshire.

Bernie Eisel
Bernie Eisel is wielerprof sinds 2001. In 2007 trad hij als knecht in dienst bij T-Mobile, waar hij werd aangetrokken om sprinter Mark Cavendish in de grote rondes heelhuids door de bergetappes te loodsen. Eisel volgde Cavendish in 2011 naar Team Sky, waar hij een sleutelrol speelde in diens sprinttrein, en opnieuw in 2016, toen Cavendish tekende bij Team Dimension Data. Tijdens lange bergetappes in de grote rondes is de in Oostenrijk geboren Eisel vaak een van de 'buschauffeurs', die achter in de koers het groepstempo bepalen. Hij kan zich erop beroepen nog nooit een tijdslimiet gemist te hebben.

Maurizio Fondriest
Maurizio Fondriest, geboren in het Italiaanse Trento, werd in 1988 op 23-jarige leeftijd wereldkampioen op de weg, in wat pas zijn tweede seizoen als profrenner was. Gedurende zijn elfjarige loopbaan maakte hij naam als stijlvolle renner die precies wist wanneer hij moest aanvallen en die taai genoeg was om een ontsnapping tot de finish vol te houden. Fondriest blonk ook uit in de voorjaarsklassiekers en in de etappewedstrijden aan het begin van het seizoen. In 1993 won hij Milaan-San Remo, de Waalse Pijl én de Tirreno-Adriatico.

Tao Geoghegan Hart
Geoghegan Hart, geboren in Londen, begon in 2010 deel te nemen aan landelijke wedstrijden en nam in 2011 deel aan het ontwikkelingsprogramma van British Cycling voor renners onder de zestien. In 2013 brak Geoghegan Hart door als wielerprofessional toen hij de Ronde van Istrië won; hij werd bovendien derde in Le Pavé de Roubaix (Parijs-Roubaix voor junioren) en sleepte in de Giro Internazionale della Lunigiana met de trui voor het bergklassement, het puntenklassement en het algemeen klassement alle prijzen in de wacht. In 2014 werd Geoghegan Hart tiende in de Tour de l'Avenir (die geldt als de Tour de France voor jonge renners). In 2015 fietste hij als stagiair bij Team Sky (tegenwoordig Team INEOS), waarvan hij in 2017 volwaardig lid werd. In 2020 won hij de Giro d'Italia.

Simon Gerrans
Simon Gerrans werd geboren in de buurt van Melbourne in Australië. Hij begon met wielrennen op aansporing van zijn buurman, de voormalige beroepswielrenner Phil Anderson. Gerrans reed tussen 2005 en 2018 als prof voor de ploegen van AG2R, Crédit Agricole, Cervélo Test-Team, Team Sky, Orica-Scott en ten slotte BMC Racing Team. Hij boekte in zijn professionele carrière drieëndertig overwinningen, waaronder twee monumenten: Milaan-San Remo in 2012 en Luik-Bastenaken-Luik in 2014. Hij won etappes in alle drie de grote tours. Na gestopt te zijn als beroepswielrenner werkt hij als *athlete intern* bij Goldman Sachs in Londen.

Andy Hampsten
Andy Hampsten groeide op in Ohio en verhuisde in 1985 naar Italië om daar een carrière als profrenner op te bouwen. Hij deed acht keer mee aan de Tour de France en eindigde daarin in 1986 op de vierde plaats. In 1988 won Hampsten zowel het algemeen klassement als de bergtrui in de Giro d'Italia. Gedenkwaardig was zijn aanval op de Gavia tijdens een verschrikkelijke sneeuwstorm in de veertiende etappe in deze ronde, waarmee hij de leiding veroverde. De etappe kwam te boek te staan als een van de zwaarste ooit, 'de dag waarop sterke mannen huilden'.

Pedro Horrillo (Muñoz)
Pedro Horrillo is een Spaanse ex-wielrenner. Hij werd in 1998 professional en reed voor Mapei-Quick Step, Quick Step-Davitamon en Rabobank. Hij won in 2004 een etappe in Parijs-Nice en werd bekend met zijn bijna-overwinning in de Vuelta a España, toen hij op tweehonderd meter voor de finish werd ingehaald. In de achtste etappe van de Giro d'Italia van 2009 vloog Horrillo in de afdaling van de Colle San Pietro uit de bocht en viel zestig meter omlaag in een ravijn. Niemand had Horrillo zien vallen, maar zijn fiets werd tegen de vangrail gevonden. Horrillo herstelde van zijn verwondingen maar stopte als wedstrijdrenner. Sindsdien werkt hij als schrijver en wielrencommentator.

Sean Kelly
Sean Kelly geldt als een van de beste klassiekerspecialisten ooit. Hij werd in 1977 beroeps en heeft in de loop van zijn carrière 193 professionele

wielerwedstrijden gewonnen, waaronder negen klassiekers. Hij beklom de ladder naar de absolute top met mede-Ier Stephen Roche en heeft het in zijn carrière opgenomen tegen legendarische renners als Eddy Merckx, Greg LeMond en Bernard Hinault. Kelly begon zijn carrière als een pure sprinter maar hij wist zijn klimcapaciteiten dermate te verbeteren dat hij ook in heuvelachtigste klassiekers met de top mee kon. Hij won in 1988 de Vuelta a España.

Greg LeMond

In 1986 werd de Amerikaan Greg LeMond de eerste wielerprof van buiten Europa die de Tour de France won. LeMond gold als echte allrounder, maar hij was ook een erkend klimmer; hij was opgegroeid langs de oostelijke hellingen van de Sierra Nevada, de bergketen in het westen van de Verenigde Staten. In de Tour de France van 1989 ging LeMond op de Col d'Izoard keer op keer in de aanval om de gele trui op Laurent Fignon te heroveren. LeMond was de eerste Amerikaan die bij de elite wereldkampioen op de weg werd en de eerste wielerprof die een contract voor een miljoen dollar in de wacht wist te slepen.

Allan Peiper

Allan Peiper was een klassiekerspecialist die daarnaast vijf keer meedeed aan de Tour de France. Zijn hoogtepunt beleefde hij in de jaren tachtig en het begin van de jaren negentig aan de zijde van Stephen Roche, Sean Yates en Robert Millar. De in Australië geboren Peiper verhuisde in 1982 naar Frankrijk om er aan wielerwedstrijden deel te nemen en trad een jaar later toe tot de ploeg van Peugeot. Peiper kwam als renner het best tot zijn recht in eendaagse wedstrijden en had naar eigen zeggen moeite met klimmen. In bergetappes zocht hij meestal een plekje in de bus (de laatste groep in koers). Peiper heeft zijn loopbaan voortgezet als een succesvolle *directeur sportif*.

Stephen Roche

De Ier Stephen Roche is als wielerprof vooral bekend geworden door in één jaar (1987) de drie belangrijkste wedstrijden – de Giro d'Italia, de Tour de France en het wereldkampioenschap op de weg – te winnen. Zijn overwinning in de Tour de France van 1987 kwam tot stand na een episch gevecht met de Spaanse renner Pedro Delgado. In een bergetappe die eindigde op La Plagne joeg Roche zo meedogenloos achter de Spanjaard aan dat hij op de eindstreep zuurstof nodig had, maar dit leverde hem uiteindelijk wel de eindzege op. Na dertien jaar in het profpeloton te hebben rondgereden nam hij in 1993 afscheid met liefst 58 overwinningen op zijn palmares.

Paul Sherwen

De voormalige Britse profrenner Paul Sherwen (1956-2018) deed eind jaren zeventig en begin jaren tachtig zeven keer mee aan de Tour de France. Hij reed de ronde vijf keer uit en maakte in het peloton naam met de wijze waarop hij tijdens bergetappes precies op tijd over de finish wist te komen, soms luttele seconden binnen de tijdslimiet. Sherwen stond bekend om zijn vasthoudendheid en geduld in de bergen; na een vroege valpartij in de elfde etappe van de Tour van 1985 reed hij zes uur lang solo over zes bergen. Hij finishte uiteindelijk 23 minuten buiten de tijdslimiet en werd in eerste instantie uit koers genomen, maar mocht de volgende dag wegens getoonde moed en volharding toch weer starten.

Shane Sutton

De Australische wielrenner Shane Sutton verhuisde in 1984 naar Engeland om er een profcarrière op te bouwen. In 1987 reed hij de Tour de France voor de ANC-Halfords ploeg en na afloop van zijn actieve loopbaan trad hij in dienst bij de Britse nationale wielerbond British Cycling, bracht het tot hoofdcoach bij Team Sky van 2010 tot 2016 en tot technisch directeur van British Cycling van 2014 tot 2016. Sutton werkte gedurende diens hele carrière nauw samen met Sir Bradley Wiggins, in het bijzonder in de aanloop naar de Tour de France van 2012, die door Wiggins werd gewonnen. Sutton schrijft Wiggins' succes voor een groot deel toe aan hun trainingsstages op de hellingen van de Teide op Tenerife (p. 132).

Bernard Thévenet

Bernard Thévenet zag de Tour de France in 1961 door zijn dorp op het platteland van Bourgondië komen en raakte erdoor gemotiveerd om wielrenner te worden. Hij werd in 1965 en 1966 kampioen van Bourgondië, waarna hij werd gerekruteerd door Athletic Club de Boulogne-Billancourt (ACBB), een bekende route naar het beroepswielrennen. In 1970 trad Thévenet als prof in dienst bij Peugeot-BP-Michelin. Datzelfde jaar kon hij als reserve van het team voor het eerst meedoen aan de Tour de France, waarin hij de bergetappe naar La Mongie won. Hij staat bekend als de renner die in 1975 een eind maakte aan de hegemonie van de vijfvoudige Tourwinnaar Eddy Merckx en won in 1977 zijn tweede Tour.

Geraint Thomas

Geraint Thomas is geboren in Cardiff. Als baanrenner won hij gouden medailles voor Groot-Brittannië op de Olympische Spelen van 2008 in Beijing en 2012 in Londen. Hij was zowel succesvol in eendaagse klassiekers als in grote rondes. Hij won in 2016 Parijs-Nice, in 2017 de Ronde van de Alpen, in 2018 het Critérium du Dauphiné en – last but not least – de Tour de France van 2018 (gevolgd door een tweede plaats in het algemeen klassement in 2019). Thomas was ook de meesterknecht van zijn kopman Chris Froome tijdens verschillende door Froome gewonnen Tours.

Philippa York

Philippa York, die reed als Robert Millar, won in 1984 als eerste Engelstalige renner het bergklassement van de Tour de France. Hij was in 1980 profrenner geworden en toonde al snel zijn buitengewone klimtalent. Bij zijn debuut in de Tour de France van 1983 boekte Millar zijn eerste zege in een Pyreneeënetappe die over de Aubisque, de Tourmalet, de Aspin en de Peyresourde voerde. In 1987 won hij de bolletjestrui in de Giro d'Italia. Hij verscheen in totaal elf keer aan de start van de Tour de France, reed de ronde acht keer uit en is een van slechts een handjevol Britten die ooit een van de Tourklassementen hebben gewonnen.

Het team

Michael Blann, beroepsfotograaf en enthousiast wieleramateur, bracht zijn tienerjaren door met wielrennen en dromen van deelnemen aan de Tour de France. Hij vertrok als negentienjarige uit Engeland om in Australië te gaan rijden in een befaamd amateurteam, waarmee hij deelnam aan de negendaagse Golden West Tour in Queensland. Het was een ervaring die hem leerde dat een profcontract buiten zijn bereik lag. Teruggekeerd naar het Verenigd Koninkrijk volgde hij de kunstacademie en vond uiteindelijk werk in de reclame. Dit boek verenigt Blanns beide grote passies, wielrennen en fotografie, en vloeit voort uit zijn wens een omvattend overzicht te produceren van die immense, onverzettelijke aardvormen die het toneel zijn geworden van de meest intense en zenuwslopende drama's die de wielerwereld ooit heeft beleefd. Afdrukken in beperkte oplage zijn te bestellen via www.michaelblann.com.

Andrew Diprose is Group Creative Director van het tijdschrift *WIRED* en fietst graag. Hij geeft geregeld lezingen over vormgeving, fotografie en illustratie. En hij is medeoprichter, uitgever en vormgever van de onafhankelijke wielerpublicatie *The Ride Journal*.

Susannah Osborne is journalist en schrijft voor tal van kranten en tijdschriften over reizen, fitness en avontuurlijke sporten. Ze fietst al sinds haar tienerjaren, aanvankelijk om zich te verplaatsen rond haar geboortestreek North Devon, en later als actief lid van de vrouwenwielren- en criteriumscene in het Verenigd Koninkrijk. Ze fietste en werkte al jarenlang samen met Michael Blann voordat ze met hem aan dit boek begon, waarin ze haar liefde voor verhalen vertellen kan combineren met haar langdurige fascinatie voor dramatische landschappen.

Register

Kaarten

Franse Alpen

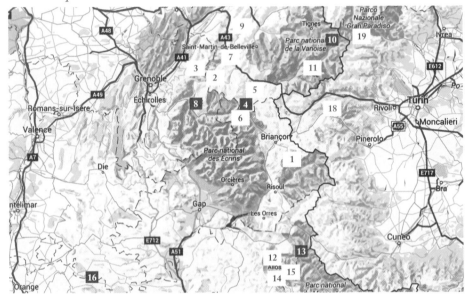

Pyreneeën

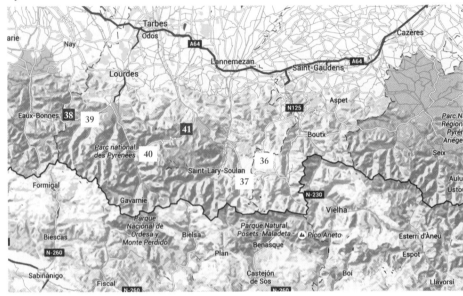

Dolomieten en Italiaanse, Oostenrijkse & Zwitserse Alpen

Legenda

1	Col d'Izoard	17	Passo Fedaia
2	Col de la Croix de Fer	18	Colle delle Finestre
3	Col du Glandon	19	Colle del Nivolet
4	**Col du Galibier**	20	**Passo Giau**
5	Col du Télégraphe	21	Passo Valparola
6	Col du Lautaret	22	Passo Sella
7	Lacets de Montvernier	23	**Passo dello Stelvio**
8	**Alpe d'Huez**	24	Passo San Boldo
9	Col de la Madeleine	25	Passo Pordoi
10	**Col de l'Iseran**	26	Passo Gardena
11	Col du Mont Cenis	27	Passo del Mortirolo
12	Col d'Allos	28	**Passo Gavia**
13	**Col de la Bonette**	29	Passo dello Spluga
14	Col des Champs	30	Ötztaler Gletscherstraße
15	Col de la Cayolle	31	Timmelsjoch
16	**Mont Ventoux**	32	Furkapass
		33	Nufenenpass
		34	**Gotthardpass**
		35	Grimselpass

Asturië

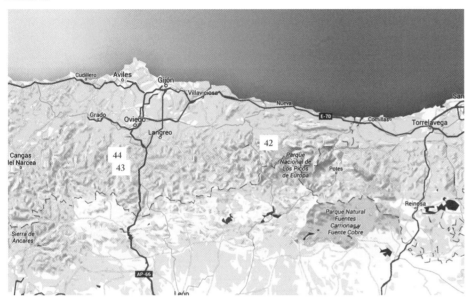

Majorca

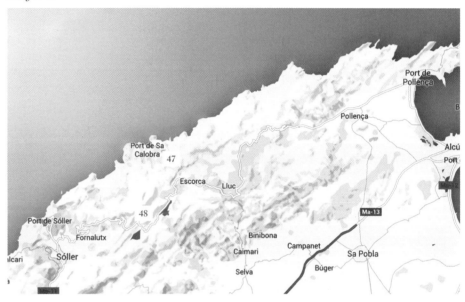

Tenerife

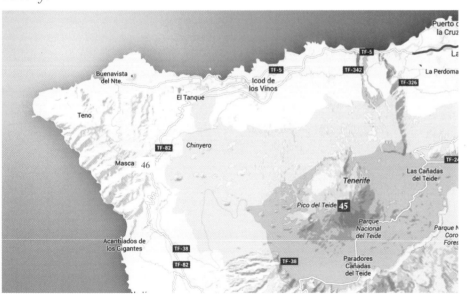

Franse Alpen

Col du Galibier
(vanaf Col du Lautaret)

De Col du Galibier is een van de beroemdste beklimmingen uit de geschiedenis van het wielrennen. Genoemd naar Le Grand Galibier, de top van de berg, die boven de col op 3.228 m hoogte ligt, is het een van de hoogste en meest uitdagende wegen in Europa voor wielrenners. Door de grote hoogte blijft op de noordelijke hellingen ook in de zomer sneeuw liggen.

MAXIMALE HOOGTE:	2.642 m
LENGTE:	8,52 km
HOOGTEVERSCHIL:	585 m
GEMIDDELD STIJGINGSPERCENTAGE:	6,9%
MAXIMAAL STIJGINGSPERCENTAGE:	12,1%

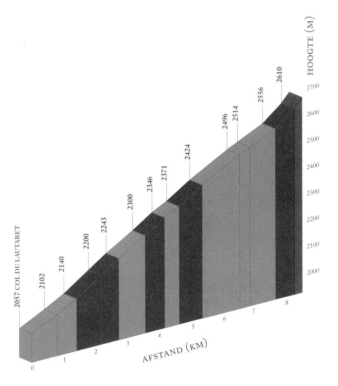

Col du Galibier
(vanaf Châtelard)

• De eerste keer dat de Tour de France over deze col ging, in 1911, bereikten slechts drie renners de top zonder te hoeven lopen.
• De drie routes over de Col du Galibier lopen via een andere weg naar boven.

MAXIMALE HOOGTE:	2.642 m
LENGTE:	34,9 km
HOOGTEVERSCHIL:	1.924 m
GEMIDDELD STIJGINGSPERCENTAGE:	5,52%
MAXIMAAL STIJGINGSPERCENTAGE:	8,5%

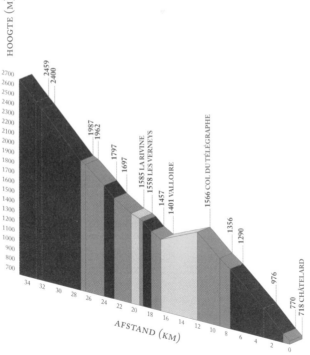

Mont Ventoux
(vanaf Malaucène)

De Mont Ventoux – ook wel bekend als de 'reus van de Provence'– wordt gegeseld door harde noordenwinden, die regelmatig een snelheid van meer dan 90 km/u bereiken en de toch al lastige beklimming nog zwaarder maken. Het is een van de winderigste plekken op aarde. De kale top van deze kalkstenen monoliet domineert het landschap en is van 50 km afstand nog te zien.

MAXIMALE HOOGTE:	1.912 m
LENGTE:	21,2 km
HOOGTEVERSCHIL:	1.535 m
GEMIDDELD STIJGINGSPERCENTAGE:	7,15%
MAXIMAAL STIJGINGSPERCENTAGE:	10,9%

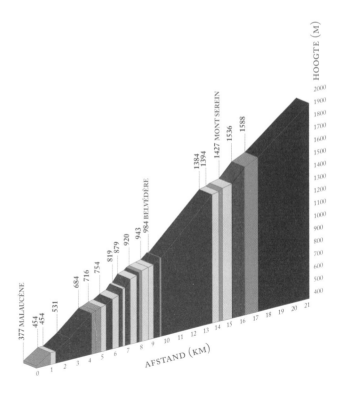

Mont Ventoux
(vanaf Bédoin)

- De Ventoux was ooit begroeid met dichte bossen, maar in de twaalfde eeuw werden veel bomen gerooid voor de scheepsbouw in Toulon, waarna de Ventoux bekend kwam te staan als de 'kale berg'.
- Op de top staat een meteorologisch observatorium, gebouwd in 1882. Het raakte na de Eerste Wereldoorlog in verval, waarna het in 1968 werd vervangen door een nieuw gebouw.

MAXIMALE HOOGTE: .... 1.912 m

LENGTE: .... 21,5 km

HOOGTEVERSCHIL: .... 1.629 m

GEMIDDELD STIJGINGSPERCENTAGE: 7,22%

MAXIMAAL STIJGINGSPERCENTAGE: 12%

Col de l'Iseran
(vanaf Bonneval-sur-Arc)

Hoewel deze col al in 1938 voor het eerst werd beklommen, is hij sindsdien slechts zes maal in het parcours van de Tour de France opgenomen, voor het laatst in 2007, toen de Oekraïense renner Jaroslav Popovitsj als eerste over de top kwam.

MAXIMALE HOOGTE: .... 2.770 m

LENGTE: .... : .... 13,4 km

HOOGTEVERSCHIL: .... 977 m

GEMIDDELD STIJGINGSPERCENTAGE: 7,3%

MAXIMAAL STIJGINGSPERCENTAGE: 10,5%

Col de l'Iseran
(vanaf Bourg-Saint-Maurice)

- Vanaf Bourg-Saint-Maurice is het 48 km naar de top van de Col de l'Iseran. Met 2.770 m is de Iseran de hoogste verharde bergpas van de Alpen en alleen in de zomermaanden geopend. De top ligt 10 km ten westen van de Italiaanse grens.
- De weg, oorspronkelijk een ezelspaadje, werd in 1937 officieel geopend, nadat er vierendertig jaar aan was gewerkt.

MAXIMALE HOOGTE: .... 2.770 m

LENGTE: .... 48 km

HOOGTEVERSCHIL: .... 1.955 m

GEMIDDELD STIJGINGSPERCENTAGE: 4,1%

MAXIMAAL STIJGINGSPERCENTAGE: 6,9%

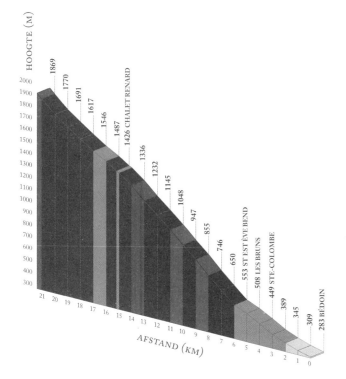

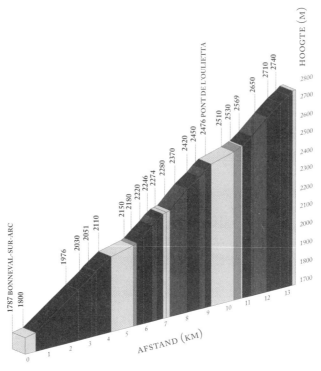

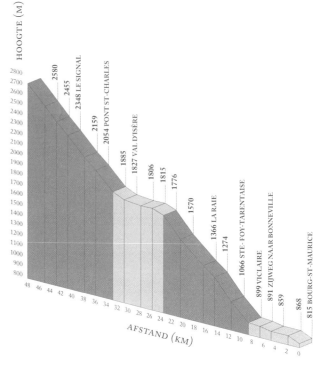

0–5%   8–10%   5–8%   >10%

Franse Alpen

Col de la Bonette
(vanaf Jausiers)

De Col de la Bonette in het nationale park Mercantour is 2.715 m hoog, maar een lus boven op de top, de Cime de la Bonette, gaat zelfs tot 2.802 m, waarmee dit de hoogste weg (niet de hoogste pas) in Europa is.

MAXIMALE HOOGTE:	2.715 m
LENGTE:	23,4 km
HOOGTEVERSCHIL:	1.502 m
GEMIDDELD STIJGINGSPERCENTAGE:	6,76%
MAXIMAAL STIJGINGSPERCENTAGE:	15%

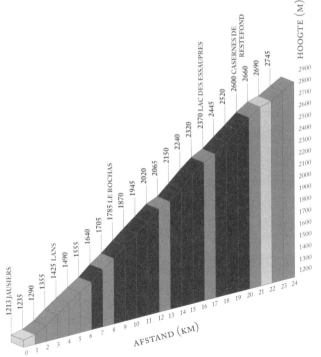

Col de la Bonette
(vanaf Saint-Étienne-de-Tinée)

- De Col de la Bonette is de laatste grote klim van de zuidelijke Alpen en ligt op de route naar de Côte d'Azur.
- In de Tour van 2008 miste de Zuid-Afrikaan John-Lee Augustyn aan het begin van de afdaling een bocht en viel over de rand. Hij lag op dat moment op kop, maar had minuten nodig om weer naar boven te klimmen, waar zijn fiets lag.

MAXIMALE HOOGTE:	2.715 m
LENGTE:	25,8 km
HOOGTEVERSCHIL:	1.565 m
GEMIDDELD STIJGINGSPERCENTAGE:	6,4%
MAXIMAAL STIJGINGSPERCENTAGE:	15%

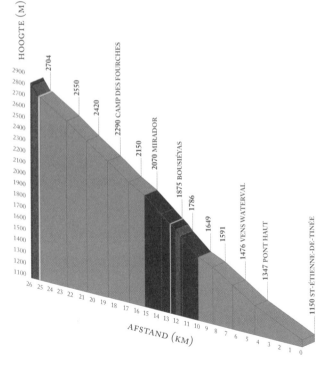

Alpe d'Huez
(vanaf Bourg-d'Oisans)

Deze col met zijn eenentwintig haarspeldbochten is een relatieve nieuwkomer in de Tour, maar is in korte tijd legendarisch geworden. De introductie van deze berg in de Tour viel samen met die van televisieteams op motoren, die het spektakel van de Grand Boucle dichter bij het publiek brachten. Elke bocht is vernoemd naar een winnaar van een Touretappe. De meest populaire is bocht zeven, de 'Nederlandse bocht', waar tijdens de Tour vele fans samendrommen.

MAXIMALE HOOGTE:	1.860 m
LENGTE:	13,1 km
HOOGTEVERSCHIL:	1.071 m
GEMIDDELD STIJGINGSPERCENTAGE:	8,19%
MAXIMAAL STIJGINGSPERCENTAGE:	12%

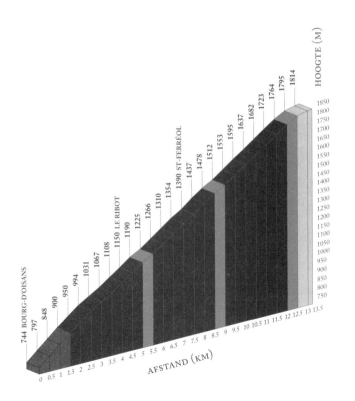

De Teide
(vanaf El Médano)

Deze slapende vulkaan op Tenerife is met een hoogte van meer dan 3.600 m de hoogste berg van Spanje. De vulkaan, die in 1909 voor het laatst uitbarstte, wordt nog steeds als structureel instabiel beschouwd. Zijn populariteit als wintertrainingsgebied voor Pro Tour ploegen leidt tot felle concurrentie om de kamers in het Parador, het enige hotel in het Parque Nacional del Teide.

MAXIMALE HOOGTE:	2.356 m
LENGTE:	51 km
HOOGTEVERSCHIL:	2.325 m
GEMIDDELD STIJGINGSPERCENTAGE:	4.6%
MAXIMAAL STIJGINGSPERCENTAGE:	8,1%

De Teide
(vanaf Puerto de la Cruz)

• Voor de oorspronkelijke Berberse bewoners van de Canarische Eilanden was de Teide een heilige berg. Volgens de legende was Magec, de god van het licht, door de duivel ontvoerd en in de vulkaan gevangen gezet, waardoor de wereld in duisternis werd gehuld.
• Gemeten vanaf de oceaanbodem is de Teide de op drie na hoogste vulkaan ter wereld. De seismische activiteit is sinds 2003 aanzienlijk toegenomen.

MAXIMALE HOOGTE:	2.356 m
LENGTE:	46,7 km
HOOGTEVERSCHIL:	2.315 m
GEMIDDELD STIJGINGSPERCENTAGE:	5%
MAXIMAAL STIJGINGSPERCENTAGE:	7,5%

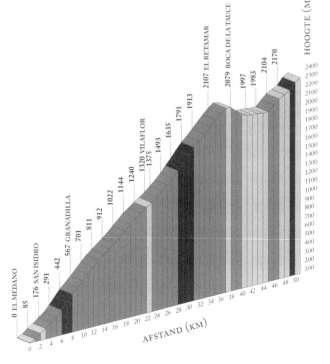

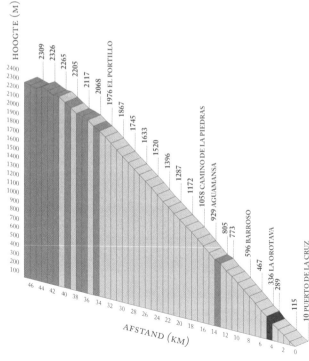

Pyreneeën

Col d'Aubisque
(vanaf Laruns)

De Col d'Aubisque is een van de mooiste beklimmingen van Frankrijk en na de Col du Tourmalet de meest bezochte uit de geschiedenis van de Tour de France. De berg kan worden beklommen vanuit Argelès-Gazost in het oosten of Laruns in het westen en is 1.709 m hoog.

MAXIMALE HOOGTE:.................................... 1.709 m

LENGTE: .... 16,6 km

HOOGTEVERSCHIL: .... 1.190 m

GEMIDDELD STIJGINGSPERCENTAGE: 7,2%

MAXIMAAL STIJGINGSPERCENTAGE: 13%

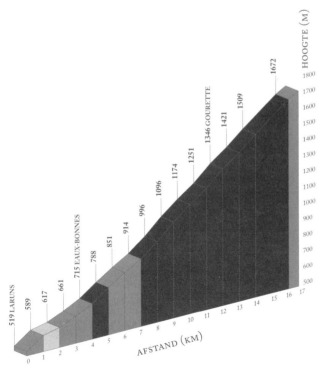

Col d'Aubisque
(vanaf Argelès-Gazost)

• Op de top staat een monument ter ere van André Bach, voorzitter van de Béarn Cyclo Club en onderscheiden met de Légion d'Honneur. Hij stierf in 1945 na zijn terugkeer uit concentratiekamp Buchenwald.
• In de Tour van 1951 raakte de Nederlander Wim van Est in de afdaling van de weg en viel 70 meter naar beneden. Met behulp van veertig aan elkaar geknoopte banden werd hij weer naar boven gehesen.

MAXIMALE HOOGTE: .... 1.709 m

LENGTE: .... 30,1 km

HOOGTEVERSCHIL: .... 1.246 m

GEMIDDELD STIJGINGSPERCENTAGE: 4,1%

MAXIMAAL STIJGINGSPERCENTAGE: 12%

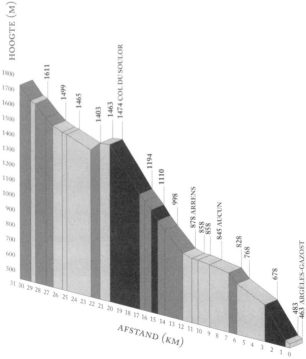

Col du Tourmalet
(vanaf Luz-Saint-Sauveur)

De Col du Tourmalet is met 2.115 m de hoogste verharde bergpas in de Pyreneeën. Het is de meest bezochte col uit de geschiedenis van de Tour de France. Vanaf de top van de Tourmalet – 'berg in de verte' in het Gascons dialect – loopt er een onverhard pad verder naar boven naar de 2.637 m hoge Col de Laquets.

MAXIMALE HOOGTE: .... 2.115 m

LENGTE: .... 18,8 km

HOOGTEVERSCHIL: .... 1.404 m

GEMIDDELD STIJGINGSPERCENTAGE: 7,4%

MAXIMAAL STIJGINGSPERCENTAGE: 13%

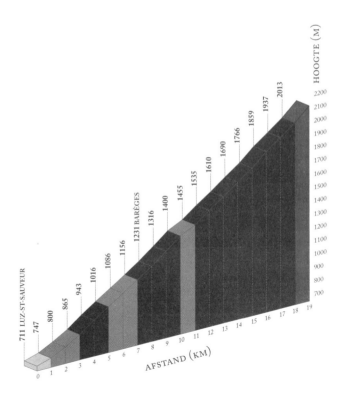

Col du Tourmalet
(vanaf Sainte-Marie-de-Campan)

• De eerste keer dat de Tourrenners over de Tourmalet werden gestuurd was in 1910, toen de beklimming deel uitmaakte van een mammoetetappe van 326 km.

• De grote Spaanse klimmer Federico Bahamontes, ook wel bekend als 'de adelaar van Toledo', kwam in vier Touredities als eerste over de top. In 1954 hield hij zelfs even halt voor een ijsje, zodat de anderen hun achterstand konden inlopen.

MAXIMALE HOOGTE:	2.115 m
LENGTE:	17,2 km
HOOGTEVERSCHIL:	1.268 m
GEMIDDELD STIJGINGSPERCENTAGE:	7,4%
MAXIMAAL STIJGINGSPERCENTAGE:	13%

Gotthardpass
(vanaf Airolo)

De Gotthard maakt deel uit van een belangrijke door-gangsroute tussen Noord- en Zuid-Europa; al in de middeleeuwen lag hier een pas door de centrale Alpen. De weg, vernoemd naar een plaatselijk twaalfde-eeuws hospitium, werd in 1830 verbreed en verbeterd. De Gotthard vormt nu de verbinding tussen Airolo in het Italiaanstalige kanton Ticino en het Duitstalige kanton Uri.

MAXIMALE HOOGTE:	2.106 m
LENGTE:	12,7 km
HOOGTEVERSCHIL:	932 m
GEMIDDELD STIJGINGSPERCENTAGE:	7,3%
MAXIMAAL STIJGINGSPERCENTAGE:	11,4%

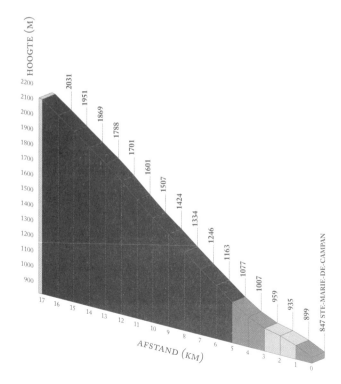

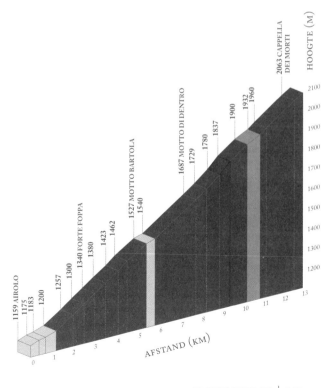

Dolomieten & Italiaanse Alpen

STIJGINGSPERCENTAGES
0–5% 8–10%
5–8% >10%

Passo Giau
(vanaf Selva di Cadore)

De 2.236 m hoge Passo Giau verbindt Cortina d'Ampezzo met Colle Santa Lucia in de Dolomieten. Met een gemiddeld stijgingspercentage van meer dan 9% en negenentwintig haarspeldbochten is de beklimming vanuit Selva di Cadore een van de spectaculairste van de Giro d'Italia. Hij werd voor het eerst beklommen in de Giro van 1973, toen de weg nog onverhard was. Die eerste beklimming liep uit op een heroïsche strijd tussen José Fuente en Franco Bitossi.

MAXIMALE HOOGTE:.................................... 2.236 m

LENGTE: ....10,12 km

HOOGTEVERSCHIL: .... 922 m

GEMIDDELD STIJGINGSPERCENTAGE: 9,1%

MAXIMAAL STIJGINGSPERCENTAGE: 10,4%

Passo Gavia
(vanaf Bormio)

De Passo Gavia is een van de hoogste en zwaarste cols van de Italiaanse Alpen. De afgrond langs de smalle, slingerende weg – die alleen in de zomer is geopend – is op sommige plaatsen ongelooflijk steil en diep, wat de afdaling extra verraderlijk maakt. Aan de zuidzijde ligt een beruchte tunnel waar de renners op 3 km van de top opeens in een desoriënterende duisternis belanden.

MAXIMALE HOOGTE:.................................... 2.652 m

LENGTE: .... 25,6 km

HOOGTEVERSCHIL: .... 1.404 m

GEMIDDELD STIJGINGSPERCENTAGE: 5,5%

MAXIMAAL STIJGINGSPERCENTAGE: 11%

Passo Gavia
(vanaf Ponte di Legno)

• Hoog boven de pas torent de Corno dei Tre Signori uit, een 3.360 m hoge top waarvan de schaduw op twee gletsjermeren valt: Lago Nero en Lago Bianco. Volgens de plaatselijke legende staan ze voor twee jonge geliefden die werden gedwongen uit elkaar te gaan.

• In de Giro d'Italia van 1988 werd op de Passo Gavia een heroïsche strijd gevoerd, waarin Andy Hampsten in winterse omstandigheden om de roze trui streed.

MAXIMALE HOOGTE:.................................... 2.652 m

LENGTE: .... 17,3 km

HOOGTEVERSCHIL: .... 1.363 m

GEMIDDELD STIJGINGSPERCENTAGE: 7,9%

MAXIMAAL STIJGINGSPERCENTAGE: 16%

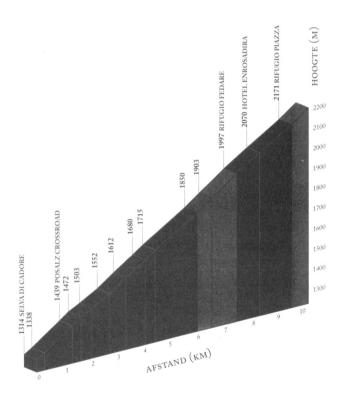

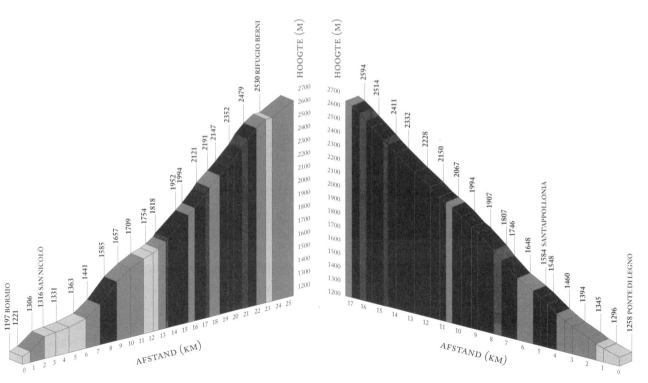

☐ 0–5%	▨ 8–10%	STIJGINGSPERCENTAGES
☐ 5–8%	■ >10%	

Passo dello Stelvio
(vanaf Bormio)

De Passo dello Stelvio, de op een na hoogste verharde pas van de Italiaanse Alpen, telt tussen Prato en de top achtenveertig haarspeldbochten en is een groot deel van het jaar onbegaanbaar. Zelfs in mei, tijdens de Giro d'Italia, worden de renners hier soms met ijzige omstandigheden geconfronteerd en wordt de weg geflankeerd door muren van sneeuw. De pas over de Stelvio bestaat al sinds de middeleeuwen, maar de huidige weg werd aangelegd tussen 1820 en 1825.

MAXIMALE HOOGTE:	2.758 m
LENGTE:	21,9 km
HOOGTEVERSCHIL:	1.543 m
GEMIDDELD STIJGINGSPERCENTAGE:	7,12%
MAXIMAAL STIJGINGSPERCENTAGE:	14%

Passo dello Stelvio
(vanaf Prato allo Stelvio)

• Tijdens de Eerste Wereldoorlog waren de hellingen van de Stelvio het toneel van hevige gevechten tussen het Italiaanse en het Oostenrijkse leger. Na de wapenstilstand werden beide zijden van de berg Italiaans. Nabij de top staat een monument voor de gevallenen.

• In 1953, toen de Stelvio voor het eerst in de Giro d'Italia was opgenomen, veroverde Fausto Coppi de roze leiderstrui op de toenmalige favoriet, de Zwitser Hugo Koblet.

MAXIMALE HOOGTE:	2.758 m
LENGTE:	24,3 km
HOOGTEVERSCHIL:	1.842 m
GEMIDDELD STIJGINGSPERCENTAGE:	7,4%
MAXIMAAL STIJGINGSPERCENTAGE:	9,2%

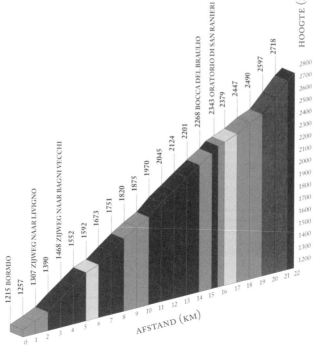

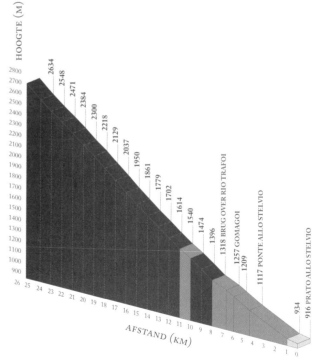

Zesde druk, 2023

Uitgegeven in samenwerking met Thames & Hudson, Londen
Oorspronkelijke titel: *Mountains: Epic Cycling Climbs*
© 2016 en 2020 Thames & Hudson Ltd, 181A High Holborn, London WC1V 7QX
© 2016 en 2020 Nederlandse vertaling: Bookmakers, Nijmegen, Rob Kuitenbrouwer
en Uitgeverij THOTH, Nieuwe 's-Gravelandseweg 3, 1405 HH Bussum
WWW.THOTH.NL
ISBN 978 90 77699 18 8

Afbeeldingen
Omslag voorzijde: Gotthardpass
p. 1: Passo deilo Spluga
p. 2: Haarspeldbocht op de Passo dello Stelvio
p. 4: Uitzicht over de Provence vanaf de Mont Ventoux

© 2016 en 2020 Foto's Michael Blann

Het ravijn, door Pedro Horrillo (p. 90) is voor het eerst verschenen in *Rouleur
Magazine*, met welwillende medewerking van Pedro Horrillo
Redactie: Susannah Osborne
Ontwerp: Andrew Diprose
Kaarten en klimprofielen: infograhpic.ly
Zetwerk Nederlandse opmaak: Studio Hans Lemmens
Gedrukt en gebonden in China door Everbest Printing Co. Ltd